KB104113

여름으로 시작해

겨울로 끝나였다.

Anemone.

::차례::

여름으로 시작해 겨울로 끝나였다.

힘들게 사랑했지만 그 끝에는 우리의 이별이었어.
그래도 난 아직 널 많이 좋아해.

“야 애들이 한번 만나자는데?”

“뭐? 장난치지 마 절대 안가”

벌써 여름이다. 거리에는 술에 취한 사람들과 연인들이 있었다.
택시를 잡아 태워 보내고 부축해주는 사람들

그리고 담배를 피우며 침을 뱉고 욕하는 사람들 내 눈에는
그저 추잡해 보이는 인간들 이었다.

물런 나도 저런 사람들 중 한 부류였다.

“그래서 넌 죽어도 못간다 그 말이지?”

“어. 절대 죽어도 그리고 망할 교수 때문에
그림 마감해야 해”

인준이는 크게 한숨을 내쉬더니 이렇게 말했다.
너 말이야 동혁이 오는데도 정말 올 생각이 없는 거야?

"...응?"

아 아닌가 오히려 헤어진 사이니까 좀 그러려나.
너 하고 싶은 대로 해

아니야 그냥 갈게 가서 그 재수 없는 면상이나 보고싶네

동혁이가 온다는 말에 아주 잠깐 당황했다. 갈려는
마음은 없지만
내 생각은 괘씸해서 가야한다는 생각뿐이었다,

친구들과 만나기로한 당일이었다.

친구들은 날 반겨주었고 한 명 두 명 인사를 하다 보니
동혁이만 없다는 거에 조금 실망을 했다.

"동혁이 온다고 들었는데 안 와?"

애들은 내 눈치를 보며 자기들끼리 눈빛 교환을 하더니
조심스럽게 입을 열었다.

온다고 말은 들었는데. 혹시 네가 와서
그런게 아닐까..?

내 탓으로 슬쩍 돌리는 게 기분이 나빴다, 나 때문..?
내가 와서.? 내가 뭘 잘못했나?

학창시절과 달라진게 없는 친구 같은 애들의 모습에
콧 웃음만 쳤다.

"큽..큼큼.."

정적이 흐르더니 인준이가 놀란 말투로 자리에서 일어났다.
저거 이동혁 아니야? 정적을 깨는 소리였다.

뒤를 돌아보니 가게 문을 열고 들어오는 동혁이였다.

몇 년 만에 얼굴을 보는거에 어쩔 줄 몰라 뚫어져라
쳐다보기만 했다.
정말 바보 같은 행동이 아닐까..

애들은 이동혁을 보며 손짓을 했다. 내 옆이
아닌 자기들 옆에 앉으라는 소리였다.
뭐 전 여친이니 상관없다 그런걸 지도..

재수 없게 웃으면서 들어오는 미소가 가게 불빛에 비쳐
내가 알던 고등학생 동혁이를 보는거 같았다.

당장이라도 달려가 안기고 싶었다.

애들과 인사를 나눈 뒤 혹시나 내 옆에 앉지 않을까 싶어
몰래 자리를 빼두었다.

하지만 나와 인사를 하기는커녕 내가 만들어둔 자리도
떡하니 봤으면서 무시를 한 채 인준이 사이에 앉았다.

꼭 내 자신이 투명인간 같았다.

더 이상 이 자리에 있을 필요가 없었다.

난 처음부터 이동혁을 만나러 온 거니까.
나는 아무 말도 없이 일어나던 찰나에
술에 취한 친구 한 명이 나에게 물었다,

"너 동혁이 싫어해?"

갑작스러운 질문에 애들은 놀란 표정을 지었다.

아무 말 없이 지켜보기만 한 나는 동혁이는 무슨
표정일까 싶어 쳐다보니
긴 속눈썹이 보이게 눈을 내리깔고
고개를 숙인 채 바닥만 보고 있었다,

결국 내가 할 말을 예상하고 있는 너였지만 그렇지만 원하는
대답을 해주기 싫었다.

"전 여친과 전 남친의 사이인데 좋아한다는 게
더 이상한 말 아닌가.?"

솔직히 저 친구의 질문도 웃기다.
같은 학교를 나와 졸업 했으면서 우리가 어떤 사이였는지
잘 아는 애가 왜 저러는가 싶었다.

내가 이동혁을 싫어한다고? 참 웃긴 말이다.
난 한 번도 빠짐없이 좋아했는데.

여름쯤인가..

동혁이는 한창 더울 여름에 같은 반으로 처음 만난 사이었다.

전학 첫 날 부터 소문난 천재라나 뭐라나.. 얼굴도 잘생기고
다 잘하는데 그림을 그렇게 잘 그린다고...

인기 있는 선배들부터 선생님과 교장 까지 찾아와 이동혁을
보곤 했다. 천재라는 타이틀로 학교 미술실을 다 줄 정도로
특별 대우였다.

하지만 난 이동혁에 비하면 다른 의미로 나름 유명했다.
그냥 좀 많이 노는 애.

맨날 술 마시고 담배까지 피며 길에 침이나 뱉고
욕은 우리말처럼 달고 다닌 기억이 난다.

근데 이런 내가 지금 잘 살 수 있었던 이유는 하나부터
열까지 전부 다 이동혁 도움 덕분이었다.

물런 그의 여자 친구였어 서 더욱 더.

같은 반 여자 애들은 이동혁을 처음 본 날부터 반했다며
별 이상한 말을 늘어두기도 하였고

팬클럽을 만든다나 뭐라나 심지어 축구하고 저질 장난을 치는
남자애들과는 다른 분위기가 있다며 별 지랄을 다 했었던
년들도 기억이 난다.

참 웃기게도 이런 상황에도 불구하고 맨날 하루도 빠짐없이
1교시를 빠지는 이동혁이 보였는데 처음에는 학교에서
특별대우 해주니 수업 따위는 빠져도 자기 인생에는
지장 없으니 그런 건가라고 생각하며
그냥 꼴보기 싫은 애라고 생각했다.

시간은 점점 지나고 평소와 다를게 없는 이동혁의 행동은
이때 한번 달랐던 걸로 기억이 난다,

미술실 촬영 이었나? 정확하게는 저 애의 기사에
나갈 사진이 더 올바른 거 같다.

아침부터 촬영을 한다고 분주해 보였던 이동혁은 피곤했는지
딱 한번 반에 들어와 책상에 엎드려 자고 있을 때였다.

그 소식을 들은 다른 반 애들은 언제 또 이렇게
유명한 애를 보겠냐며 자고 있는 모습을 사진으로 찍어
자기의 SNS에 까지 올리며 사람으로 보는 게 아니라
물건 취급 하듯이 바라보는 눈들만 가득했던 기억만 난다.

깊이 자던 상태는 아니었는지 아무 말도 없이 나가 미술실로
걸어가던 이동혁을 보며 딱 한 가지 느껴지는 게 있었다.
자기편인 친구가 한 명도 없다는 걸...

그런 쓸쓸한 뒷모습을 본 나는 이동혁과 조금이라도
가까워져야겠다고 생각이 들어 나도 모르게
발걸음이 미술실로 향했고

그 다음이 아마 내가 이동혁 한테 호감이 생긴 날 인거 같다.

미술실 앞에 도착하니 막상 대뜸 다가가면 피할 거 같아
처음에는 조용히 창문으로 들여다보니 여자애들이 했던 말이
무슨 뜻인지 알거 같았다.

우리 학교 미술실은 햇빛이 가장 잘 들어오는데 이 모습을
나만 봐서
다행이라 생각했다.

왜냐면 미술실 안에는 엄청 예쁜 미소로 웃으면서
그림을 그리고 있는 이동혁이 있었기 때문이다.

지금 생각해도 그때 이동혁은 정말 예뻤다.

근데 그때의 나는 정신이 나가 있었던 건지
나도 모르게 폰을 꺼내 카메라로 사진을 찍었다.

“찰칵”

아 망했다.. 놀란 듯이 뒤로 돌아본 이동혁은 날 뚫어져라 쳐다보고 있었고 나는 다급하게 미안하다고 정중하게 사과만 백 번 했을 정도로 진심을 다 해 머리 숙이며 사과를 했었다.

그땐 싸워봤자 내 이득은 없고 잃을게 더 많을 거란 생각이 먼저 들었기 때문이다.

이동혁은 아무 말도 없다가 딱 한마디를 던졌다.

"괜찮으니까 고개 들어"

그때의 나는 주로 재벌 설정인 드라마를 즐겨보곤 했다,

왜냐하면 세상을 돈으로 사는 모습이 그저 멋져서,
그 이유 하나였다.

하지만 그런 사람들은 싸가지가 없었다.
나 또한 그 사람들처럼 당연하게도 이동혁도 그럴거라 생각했었다.

나도 참 쓰레기 같다, 당연하게도 라니..
이 다음에 어떻게 됐더라..

아 그래,

나는 그때 아무 말 없이 이동혁 얼굴만 뚫어져라 쳐다봤었다.
그러다 처음으로 말을 건넨 말은

“너 유명하더라 화가라고 했나?”

“내가 유명한가.. 외국 말고는 잘 모르겠네”

“너 외국에서는 더 유명한가 보다? 최연소라던데”

“외국에서 살다 와서 그럴 거야”

외국에서 살다 왔다는 것도 이때 처음 알았었다.

그럼 살다 왔으니 한국인 인가..? 아님 외국인?
이라는 생각이 들던 찰나에 이동혁이 입을 열었다.

“너는 나 계속 지켜본 이유가 뭐야”

눈치도 빠르구나,

“그냥 외로워 보여서 불편했으면 미안해”

“내가 외로워 보여?”

“응 좀 많이, 너 편이 없는거 같아”

“그래? 근데 난 지금이 좋아”

처음에는 이게 뭔 개소리 인가 싶었다.
학생들에겐 친구가 인생의 절반을 차지하니까,

“대신 너랑은 딱 이정도 사이로 지내줄게‘

”이정도 사이가 뭔데? “

”남도 아닌 친구도 아닌 사이“

다른 친구가 이런 말을 했으면 욕하며 장난을 쳤을 테지만
이상하게 이동혁이 하는 말은 다 이해가 가능했었다.

무엇보다 기분이 더럽지 않았다.

”그래 우린 지금도 앞으로도 남도 아닌 친구 사이로 지내자“

”그래“

”대신 친구가 필요하면 나한테 꼭 말해 그리고 이건 내 전화 번호 적힌 종이야“

그러고는 나는 미술실을 나왔다,
이동혁이 말은 저렇게 했지만 묘하게 기분이 좋았다.

하지만 세상은 사람이 기뻐하는 게 그렇게 아니꼬운 지
기쁨도 잠시 얼마 지나지 않아 이동혁은
학교에 나오지 않았다.

처음에는 아픈걸 까 했고 일주일이 지난 뒤에는
말 못할 사정이 있나 라고 생각했다.
한 달을 채울 쯤에는 자퇴를 했나 싶기도 했다.

이렬 줄 알았으면 그때 연락처 받아둘걸, 조금
후회스럽기도 했다.

두 달째 학교를 나오지 않자 담임한테 물어보러
갔던 적이 있었다.

"동혁이가 학교를 나오지 않아서요 전번이나 집 주소라도
알려주세요"

"그건 개인정보라 힘드네, 반에 가서 수업 준비 하렴 듣기
싫음 무단외출 하고"

"그냥 좀 알려주지 되게 깐깐하게 구네"

"네가 동혁이 친구니? 둘이 한 번도 말 해본적 없는 사이 아
니야? "

"미술실, 미술실에서 얘기 해봤어요 그리고 친구 맞는데 뭐가
문제야"

저런 선생과는 말을 섞을 필요가 없어 교무실을
박차고 나왔다.

고등학생 때의 나는 무서운 게 없었던 거 같다.
물런 이제는 대드는 것도 안 한다.
걔가 이렇게 만들었으니까.

나는 이동혁을 찾으려고 온갖 방법을 시도 했었다.

검색도 해보고 애들에게도 물어봤지만 몇 달 전에
학교에서 찍은 기사와 자기들도 모른다는 결과만 얻었다.
그렇게 며칠을 더 찾다가 문자 한통이 와있었다.

"나 이동혁이야" 이 말이 전부였었다.

갑작스러운 연락에 답장도 못하고 읽음 표시만 띄운 채
생각을 정리하기 시작했고 이동혁은 내가 읽고 씹은걸
알았는지 문자 한통을 더 보내왔다.

[나 내일 학교 가는데..]

학교 오니까 반겨달라는 뜻인가?
뭐, 귀엽긴 하네

[학교 오면 해명할 준비나 해, 싫음 말고]

[응 그럴게 내일 미술실에서 보자]

[그리고 나 친구 필요해]

[그래 친구 해줄게]

나는 더 이상 네가 힘들지 않았으면 좋겠어 동혁아,

다음날 나는 학교에 도착하자 미술실로 뛰어갔다.
문 열면 날 기다리는 이동혁이 있을 테니까..

미술실에 도착한 나는 창문으로 확인 먼저 했다,
평소와 다름없이 그림을 그리고 있는 동혁이였다.
햇빛마저도 완벽했고 난 웃으면서 문을 열었다,

나는 달려가서 안아주었고 이동혁도 싫은건 아닌지
조용히 웃고만 있었다.

후에는 학교를 왜 나오지 않았는지 설명까지 해주었고
이유를 듣고 나서 조금 놀라기도 했었다,

어머니가 투병중이라 위독하셔서 시간이 얼마 남지 않았다고,

내가 할 수 있는건 더 묻지 않고 위로하며 안아주는 게 전부였다.

1교시 시작하는 종이 울리자 복도가 시끄러워 졌다.
이상하다,

미술실 복도는 이동혁만 쓰는 곳인데

불안한 느낌만 더 가득하게 들었고, 내 예감은
틀리지 않다는 듯이
누군가 문을 열었다. 바로 옆 반 학생들이었다.

이동혁은 아무것도 모르는 눈치였다.

나는 아무 말도 없는 이동혁을 대신 해
물었다.

”너희 뭔데 들어와? 여기 학교가 이동혁 한테 준
교실 아냐?“

”이동혁한테 준 교실? 그건 우리도 알지 근데 지금은
말이 다르지“

”개수작 부릴 생각 마, 당장 다 꺼져“

”너네 모르구나? 아니다 넌 알고 있긴 해? “

”뭘 아는데“

”이동혁 쟤 입양아 에다가 제 엄마는 암 투병중 이잖아“

애들은 내가 제일 싫어하는 소름 돋게 비명 같은 웃음으로
비웃기 시작했고, 이동혁 또한 표정도 좋지 않았다.
아무래도 힘든 애한테 이러고 싶나.

"그리고 너, 요즘 애들 사이에서 이동혁 만나고 다닌 이후로 네 같지가 않다고 욕 존나 해대고 다녀 알고 있긴 하냐?"

"뭐, 내가 할 말은 아닌데 하여튼 모자라게 태어나고 자란 놈들은 하나같이 다 똑같아"

"너 지금 말 다 했냐? "

"아니? 그리고 이동혁이 입양아고 어머니 몸이 편찮으신 게 왜? 뭐? 어때서?"

시비 거는게 참 안쓰럽기만 하다.

싸우는 소리가 들린 건지
선생님들은 미술실로 달려와 우리를 진정 시키기에 바빴다.

나는 선생님들이 당연히 이동혁 편을 들어줄거라 믿었다.
그리고 저 놈들에게는 벌을 줄거라고.

하지만 선생님들은 달랐다.

선생님들은 이동혁에게 시비턴 애들을 혼내는 게 아니라
이동혁을 혼내셨다. 뭔 이런 거지같은 일이 다 있지

"동혁아 네가 학교를 안 나오니 이런 일이 있는거 같은데
당분간 미술실 혼자 사용하는건 좀 어렵겠다.
그러게 학교 잘 나왔어야지.,"

선생이라는 사람은 혀를 차며 수업을 진행 시키려 했다.

근데 이런걸 그냥 넘어가기에는 내 성격에 죽이 안
맞고 무엇보다

이동혁에게는 친구가 나 한명 뿐이니까.
이럴 때 써먹으라고 해준 친구니까.

”선생님 말은 똑바로 하셔야죠 이동혁 건드린 건
저 자식들 인데 왜 피해자가 무시당해요? “

”하지마, 그냥 가자“

내 손목을 잡으면서 말하는 동혁이의 목소리는 잦게 떨리는
목소리였다.

기분이 묘했다,
마음이 약할 거라고는 어느 정도 생각은 했지만
이정도 일 줄은..

복도를 나가자 수업중인 학생들은 교실에서 갑자기
뛰쳐나와 핸드폰을 보며 이동혁을 힐끔거리며
속닥거리기 시작했다.

뭐가 또 그렇게 난리인가 싶어서 찾아보니
실시간 검색어 순위에는 이동혁 이라는 이름이 1위를 하고
있었다.

이미 기사들은 걷잡을 수 없을 정도로 올라오기 시작했고
기사 제목은 '최연소 화백 이동혁 사실 입양아', '기업 1위
dk 대표의 입양아들'
'세계 최고 화백 유망주 이동혁 어머니의 위독'

내 표정에서 다 드러난 건지 이동혁은 내 폰을
낚아채 기사를 하나 둘 읽어가기 시작했다.

내 머릿속은 점점 복잡해지기 시작했다.

또 상처 받으면 어쩌지, 멘탈이 나가는건 아닐까.
하지만 기사를 다 읽은 이동혁은 달랐다.

“난 괜찮아 이미 다 예상 했는걸”

“정말 아무렇지 않아.?”

“응 그럼 아버지가 나도 이젠 강해져야 할 필요가 있다고 하셨어”

말은 그렇게 하지만 여전히 좋지 않았던 얼굴을 풀어주고 싶었다.

“우리 학교 마치고 잠깐 어디 같이 갈래?”

“어디?”

“음..그건 비밀인데 막상 가보면 네가 제일 좋아하지 않을까?”

“난 좋은데 이 상태로 학교에 있기는 좀 그렇고 그냥 나갈래?”

나랑 어느 정도 죽이 잘 맞는다는 건 어느 정도 느끼고 있었지만
이정도로 잘 통할 줄이야, 생각도 못했다.

나는 동혁이의 의견에 동의 했고 밖에 나가보니 비가
어마하게 내리고 있었다.

“혁아 소나기 일까?

“소나기 아닐까”

소나기면 다행이라 생각했다.
난 이래서 겨울이 더 좋아. 왜?
난 이동혁이 여름을 더 좋아할 줄 알았다.

여름은 동혁이의 계절 같았다.

“넌 여름 좋아해?”

“응 나는 비 맞으면서 다니는 게 좋더라”

“그렇구나 난 비 맞는게 조금 찝찝하더라”

"동혁아 그럼 어쩌지? 우산도 없는데..
너 비 맞는거 싫다며"

그렇긴 한데.. 그럼 내가 사올까?
그러자 이동혁은 뭘 그렇게 까지 하냐고 했다.

"안 돼 너 몸도 비리하게 생겨서 감기 걸리면 어쩌려고"

"거기까지 얼마나 걸리는지 모르겠지만 뛰자"

"안된다니까 그러네"

"풉.."

"왜 웃어?"

"나 그 정도로 약해 빠진 사람 아니거든?"

"너 고집 절말 세다"

"너니까 괜찮아"

잘못 들었나 싶어 다시 물었다.

”나라서..?“

”어, 너라서 그러니까 같이 뛰자고“

“좋아”

거짓이 아니고 정말로 좋은지 동혁이는 웃음 짓기 시작했다.

또 보인다. 저 특유의 웃음
뭐랄까 좀 부끄럽지만 내가 가진 어휘력으로는
설명하기 힘든 웃음이랄까

내 손목을 잡고 나를 바라보며 뛰며 웃는 모습은
이상하게도 마음 한 쪽 구석이 아파왔다.

상처가 많은 아이라 그런 건지 오히려 내가 지켜주고 싶었다.

비에 젖어 엉망이된 우리는 서로를 보며 웃었고
장소에 도착해 몸을 정돈하고 있을 때
이동혁이 입을 열었다.

“어, 이거 내 그림 아니야? 이게 왜 여기에 있지..?”

이동혁은 신기한지 눈을 크게 뜨며 물었다.

“아..여기 화실인데 여기 원장님이 너 그림 좋아하셔”

“우와 한국에서도 내 그림이 있구나”

“그림을 외국에서만 보여줘?”

“그런건 아니고 한국에 들어온 그림은 3개가 끝일거야”

“그럼 이 그림은 엄청 귀한거구나”

"그나지나 너 그림 그려?"

"아, 그냥 네가 그림 그리니까.. 배워보고 싶었거든"

"너 멋지구나?"

"그렇게 봐주니 고맙네"

"이참에 네가 날 여기로 데려왔으니까 한번 그려보자 어때?"

"나 아직 초보인데..?"

"나 있잖아 내가 알려줄게"

이건 운명 아닐까 라는 생각도 안해본건 아니다.

유명한 화백이 내 앞에서 그림을 그리는것도, 알려주는 것도
이게 가능했던 일인가..

이동혁은 나에게 기초부터 다시 알려주었다.
초보라 아직 제대로 배워본 적이 없었던 나는
이동혁의 효과가 꽤나 컸다.

“자 이정도면 충분하지?”

“고작 이거 알려주고 충분하다고?”

그림 알려준다면서 고작 한 시간 알려주고 끝이라니...
그래도 뭐 어때 그림 쪽으로 갈 것도 아닌데.

그렇게 한참을 그림 그리다 밤이 되어서야 화실을 나왔다.

기묘한 느낌이 흐르다가도 서로 그 느낌을 깨고 흐르고를
반복했다.

이동혁도 나에게 마음이 있는걸 까?

너는 운명이 뭐라고 생각해 동혁아? 나는 이런게
운명이라 생각해.

아무 생각 없이 던져본 말이지만 훅 들어오는 대답에
발걸음을 멈췄다.

“네가 그렇게 생각한다면 나도 운명이라 생각해”

바보, 멍청이 서로 만난 지 얼마나 지났다고 이러는 건지 단
단히
미친것 같다. 부끄러움이 몰려오자 ‘잘 가 동혁아 내일 봐’
라는 말을 전하고 도망치듯 헤어졌다.

막상 도망치긴 했지만 아쉽긴 했다.
아까 그 분위기 였으면 고백이라도 해봤을 텐데..

점점 마음이 깊어져 가는 나는 이동혁 생각을 한참하다
피곤해 지쳐 잠들었다.

그렇게 서서히 밤이 깊어갔다.

다음날 학교를 가보니 이동혁은 미술실이 아닌 교실에
앉자 있었다. 하긴 미술실을 못 쓰게 되었으니
반에라도 있어야겠지..

선생님들이 왜 이동혁의 미술실을 줬다 뺏었는지
아직까지 이유를 찾지 못했지만
본인도 알고 싶지 않았던거 같았다.

하지만 그런 기사 때문에 뺐은거라면 좀 화가 날 거
같았다.

“안 들어오고 뭐해”

“안녕 동혁아”

“응 안녕”

“이제 들어갈려 했어”

전교생의 시선은 따가운 눈초리 반
신기해하는 눈빛이 반이었다.

자기들은 말 한번 섞어보지 못했으니 그런 거겠지
꼬시다.

다행히 어제 같은 일은 일어나지 않았다며 다행이라고
생각하려던 찰나에 이동혁이 말을 했다.

“걔네들 너 오기전에 나한테 사과했어”

“아..진짜? 다행이다.”

“너 눈동자가 꼭 뭐를 걱정하는거 같아서..”

“거기 둘 수업 시작하는데 자리에 앉지?”

이동혁과 나는 대충 멋쩍은 행동을 하며 자리에 앉았다.

그러고 보니 1교시부터 미술이구나 나는 나쁘지 않다며
이동혁과 수업을 같이 듣기 시작했다.

선생님은 오늘 과제 줄거니 한 명도 빠짐없이 제출을 하라고
요구 하셨고 그림을 보고 등급을 채점해 성적을 내겠다고
말하셨다.

“자, 주제는 없으니 알아서 내일 모레까지 잘 해오도록 이만
수업 끝”

미술 선생님은 수업을 길게 안하기로 유명하셨지만 오늘은
10분도 채우지 않으시고 반을 나가셨다.
깐깐하지만 내가 제일 좋아하는 부류의 선생님이었다.

과제에 대해서는 걱정이 없었다. 내 옆에는
이동혁이 있으니까.

그러자 이동혁이 우리 같이 화실 가서 그릴까?
지금? 표정을 보아하니 지금 나가자는 눈초리였다.

이동혁은 내가 자기한테 이렇게 약한걸 알고 있을까..

우리는 과제 출제로 인해 시간이 없다며 변명을 했지만
선생님은 이동혁의 얼굴을 보더니 조퇴증을 내미셨다.

이동혁과 나는 신난다며 편의점에 들러
간단하게 밥을 먹고 나중에 먹을 저녁밥을 사서
화실로 뛰어갔다,

화실에 도착한 나는 중간 사이즈 보다 살짝
큰 캔버스를 들고 왔고

이동혁은... 자기 키만한 캔버스를 들고 왔다.

“너 그렇게 큰 게 필요해?”

웃기기도 하지만 어처구니없기도 했다.

“응 좋은건 크게 그리고 크게 보라고 들었어‘

”근데 그렇게 큰 사이즈를 내일 모레까지 완성이 가능해? “

”나 정도면 이정도는 해야 하지 않겠어? “

이동혁은 자신감이 넘치는지 눈꼬리 웃음을 지었다.

”근데 나 여기 계속 와도 괜찮은거 맞아?“

”아, 여기 내가 아는 분이 하시는 곳이라
내가 미리 말씀드렸어“

"둘이 사이 좋아 보인다?"

이동혁이 전학을 오기 전까지 같이 다닌 둘도 없는 친구지만
이동혁이 온 뒤로 같이 다니지 못했던 황인준 이였다.

"어, 황인준 너 오랜만이다? "

"그래 형님 왔다. 너 나 버리고 안보 이길래 죽은 줄"

"죽고 싶지? "

으응. 그정도 까진 아니고. 너 이동혁 맞지?

"둘이 아는 사이야?"

"재는 나 모를걸? 이동혁은 워낙 유명하잖아"

아무리 생각해도 인준이의 친목이 좋다지만..
이동혁은 부담스러울텐데

"좋네 이렇게 세 명에서 친구하자"

친구 없이 이대로가 좋다던 이동혁의 말이 기억났다.
참 신기하지, 사람이 이정도로 바뀐다니.

"의외로 적극적이네 난 찬성 인준이 너는?"

"난 당연히 찬성이징"

우린 순식간에 친해졌고 인준이도 그림을 그리던 친구라
이동혁과 말하는 수가 더 많아졌다.

이대로 쭉 가면 더 이상 바랄게 없다고, 좋겠다는
생각을 했었다.

"인준아 너도 미술 과제 때문에 여기 온 거지?"

"당연하지 근데 누가 과제를 저렇게 내냐?"

"ㅋㅋㅋ그러게 좀 어이없기도 하네'

"인준아 그림 빨리 그려 너 그러다 완성 못해"

"이동혁 네가 잡아온 캔버스를 보면 네가 할 말은
아닌거 같은데?"

인준이는 나와 비슷한 캔버스를 선택 했다.

이동혁은 자기 캔버스와 인준이의 캔버스를 번갈아 보다
혼자 터지기도 했다.

인준이와 나도 함께 따라 웃었다.

”그래서 너희 뭐 그릴거야? “

”난 우리 세 명 그릴래“

”동혁아 너는?“

”나는 비밀이야“

”뭐야? 그럼 나도 비밀할래“

”너네 뭐하냐? 진짜 재미없다“

인준이는 재미없다며 먼저 화실을 나가며
장난꾸러기 같은 표정을 지으며 문을 닫았다.

딱히 비밀로 하려고 했던걸 아니다.
물어보면 알려줄 생각 이었지만 생각하지 못한 대답에
나도 얼떨결 비밀로 하겠다는 말이 나온 것이었다.

내 그림은 나와 이동혁이 처음 만난 미술실을 그리는 거였고

제목은
역시 첫 만남으로 하는 게 좋겠지.

동혁이와 밤 10시 까지 그림을 그리며 서로 물어보고
도와주기도 했다,

도움을 받거나 도와주는 모습의 동혁이는 가끔 웃는 모습이
나올 때 마다 햇빛 같았다.
이건 사랑이 아니라면 미친 거였다.

문득 이런 생각이 들었다.
내가 이동혁을 좋아해도 괜찮은 걸까,

사랑한다고 말해도 받아줄 이동혁일까,
사귄다고 한들 내가 상처주지 않을까.

”무슨 생각해?“

”그냥 아무 생각?“

”나한테 숨기지 말고 말해줘“

”....음..“

”내가 생각을 해봤는데 너 풀썬으로 하자“

”음? 그게 뭔데? 별명 같은 거야?“

”응, 너 웃는게 꼭 햇빛 같아서. 그래서 풀썬“

”좋아?“

”응 어울려서 좋아“

”그래 너 말에 따를게“

지금 생각해보면 웃겼다.
나도 널 따르는데 너도 결국에는 날 따르는구나, 이동혁을
좋아할 만한 이유는 충분하다 생각했다.
예전이나 지금도 똑같이.

오랜만에 만난 술자리에서는 나의 한 마디에
갑분싸만 만들었고 그런 이동혁은

멍청하게,바보같이,재수없게 땅만 여전히 보고 있었다.
그런 이동혁이 난 답답하게 느껴졌다.

난 이동혁이 들으라고 한마디를 툭 던졌다.

"난 사랑을 쉽게 생각하는 사람이 좀 그러네"

인준이는 나를 진정시키기 바빴고 다른 친구들은
다들 바쁠 텐데 이쯤에서 헤어지자며 하나 둘씩
식당을 나갔다.

나는 골목길로 들어가 이동혁과 만나고 나서 잘 보이고 싶어
입에는 대지도 않았던 담배를 다시 꺼내 들었다.

내가 이걸 끊으려고 얼마나 노력 했는데 저 괘씸한 놈이
또 피게 만드는 구나.

한 대를 다 피고 두 대를 피울 때쯤에는
누군가 내 담배를 가져갔다. 가져간 담배는
이동혁이 들고 있었다.

"왜 다시 펴"

"네가 뭔 상관인데"

그래도 너 전남친.. 이동혁의 말에 열이 올랐다.
전남친 같은 소리 하고 있네 나 버리고 가버릴땐 언제고
이제 와서 전남친 행세 부리는 거지?

”너 우리가 어떻게 사귄 건지 알기나 해?“

”아니..“

“그래 사랑을 얼마나 가볍게 생각 했으면 기억도 안 나살까”

무서웠다. 이런 상황마저도 이동혁이 좋아한다고 말하면
난 바보같이 그 고백을 받아줄까봐, 그러기에 난 더더욱
화살 같은 말을 꽂을 수박에 없었다.

그 이후에도 이동혁에겐 몹쓸 말을 했고 술 기운 때문이지
하면 안될 말을 내뱉고 말았다.

정말 건드려서는 안될 부분이었다.
이동혁이 죽어라 미워져 오는 순간이 오더라도 꺼내지 않기로
나 자신과의 약속을 했을 정도였다.

그 말을 내뱉은 직후에는 난
너무 놀라 입을 손으로 틀어막았지만 이미 늦은 상태였으며
이동혁은 아무 말 없이 떠나갔다.

그 일 이후로 우리는 그 어떠한 곳에서도 만날 수 없었다.

나는 평소처럼 지내며 망할 교수의 과제를 끝내곤 했다.

“아니 교수님 제 성적이 왜 A+가 아니죠?”

“네가 그린걸 봐라 이 녀석아, 숲을 그려오라 했지 누가
사람을 그려 오라디?”

“저 졸업은 시켜 주셔야죠?”

“네가 잘해야 시켜주지?’

교수님 진짜 미워요, 응 나도 너 미워 .
졸업 잘 시켜준다길래 왔더니 졸업은 개뿔, 사기 당한거나 다름없다.

“그래서 이번 학생회 회의 나올거니?”

“네? 한동안 회의는 없기로 했잖아요”

“이동혁 화백이 여기 학교 온다해서 지금 난리야 난리”

교수는 골치가 아픈 건지 미간을 찌푸리며 한숨을 내쉬기 바빴다.

"학생회랑 이동혁 화백이랑 뭔 상관이죠?"

"우리 학교에 지원을 하고 싶다나 뭐라나 하여튼
너 꼭 나오렴"

"싫은데요?"

뭐? 교수는 놀라며 너까지 머리 아프게 하지 말라며
안 그러면 다음 성적도 개떡으로 주겠다며 으름장을 놓았다.

그러고 나서 교수님은 다음 강의가 있다며 꼭 나오라고
신신당부 하며 뛰어가셨다.

이참에 학생회를 나갈까...

"너 여기서 뭐해?'

황인준이다.

”학생회 회의 있단다~ “

”응? 너희 당분간 회의 없다고 좋아했잖아“

회의를 하기만 하면 의견 차이로 인해 맹수처럼 싸우던 우리는 축제,아이돌 관련 소식보다 회의를 멈춘다는 소리에 더 기뻐했었다.

”동혁이가 학교로 온대“

”우리 곧 졸업인데 온다고? “

”학생으로 오는건 아닌거 같고 지원을 하고 싶다고 말을 한 모양 같네“

”아..“

”혹시 네가 이동혁 한테 나 학교 어디 다닌다고 말해준거 아니지? “

”야 내가 미쳤다고 전여친 학교를 알려주겠어?“

”너라면 그럴지도“

”얘가 또 정신 나간 소리 하네“

황인준 눈동자를 보면 쉽게 알 수 있었다.

”뭐.. 눈동자가 다른 곳에 있는게 아닌걸 보니
네가 말한게 아니긴 한가보네“

”그래 이 녀석아.. 그리고 너 이동혁 오면 싸우지 마라“

”내가 싸울 애로 보여?“

”어, 이동혁 이제 몸값 더 비싸질 텐데 너도 좀 화해하던가
아님 싸우지 말던가 둘 중 하나만 해“

:”몸값이 더 비싸진다고?“

이미 유명한데 더 유명해 진다니 그게 무슨
말인가 싶다. 이동혁 위치에서 더 올라갈 곳이 있긴 한가?

"너 기사도 안보고 살지? 연락도 안하지? "

"전남친 기사를 왜 보겠니 그리고 누가 연락하냐?'

이동혁 기사를 아예 안본건 아니다.
이동혁과 헤어진 이후 연락이 끊겨 종종 근황이
궁금해 찾아보긴 했었다.

하지만 몇 년이 지나도 아무런 기사가 올라오지 않았다.

"이동혁 프랑스에서 오르세 미술관인가 거기서 개인 전시회
연다고 기사 올라왔던데"

"거기 유명해도 전시회 열기 힘든 곳 아냐?"

"맞긴 하지 근데 이동혁 목표는 저거였잖아 꿈을
이룬 거지 뭐"

이동혁의 최연소 화백 이라는 말이
실감나기 시작했다.

난 대학교 4학년일 때
너는 어린 나이에 남들 보다 빠른 꿈을 이뤘구나.

나는 인준이와 대충 인사를 한 뒤
교수님에게 찾아갔다.

“교수님 회의 언제라고요?”

“내일이지, 너 오려고?”

“네, 보고 싶은 사람이 있어서요”

“어어 그래 아주 좋은 결정이야‘

내가 가야겠다는 이유는 딱 하나였다.
축하해서가 아니라 꼭 물어보고 싶은 게 있어서.

나는 집으로 가지 않고 이동혁 부모님의
회사에 찾아갔다.

다른 이유는 없다. 그저 이동혁 그림이
회사 지하에 전시되어 있어서였다.

생긴 지 얼마 안 된 곳이라 그런지 예약제로 운영하며
사람들은 꽤나 많았고 나도 소식을 듣고 온 거지만
이동혁 그림이 이렇게 많은 줄 몰랐다.

내가 마지막으로 본 그림은 10번째 작품이며
제목은 여름이었다. 하지만 전시되어 있는 그림들은
족히 20개는 넘어 보였다. 화가가 이렇게 많이 그리기도
힘들 텐데..

천천히 둘러보다 내 눈에 띈건 이동혁이 낸 책이었다.

-이동혁 화백의 이야기- 라는 제목이었다.

이동혁의 책의 내용은 살아온 내용이
담겨져 있었고 연락이 끊긴 뒤의
이야기도 찾아볼 수 있었다.

뭐 자기는 열심히 그림 그리며 살았다는 뻔한
스토리 일게 뻔했다.

그러나 사람의 뇌는 항상 궁금증을 만들기 마련이다.
결국 나는 한 권은 사서 자리를 잡아 읽기 시작했다.

자신은 한국 사람이지만 이탈리아에서 보낸 시간이
더 많았다는 이야기와 한국에서의 학창 시절의 이야기가
있었다.

당연히 나에 대한걸 다 제외하고 쓴 줄 알았지만
책에는 나와 했던 추억부터 내가 그의 첫 여자 친구
였다는걸, 또 사랑이란걸 처음 느껴보고 친구의 필요함을
알려준 좋은 사람 이었다는 걸 알려주는 글이 있었다.

하지만 그 밑에 문장은 내 시선을 더 돌리기 쉬웠다.

어느 날 교통사고를 당해 기억을 잃었습니다.

이게 무슨 소리지? 나를 떠난 뒤에 기억을
잃었다는 건가? 난생 처음 들어보는 말이었다.

나는 인준이 에게 전화를 걸었다.

"여보세요?"

"너 동혁이 사고 당해서 기억 잃었다는거 알았어?"

"난 알고 있었는데 너 모르고 있었어?"

"어 나는 몰랐어.. 일단 끊어봐"

'어어 그래."

그래서 그때 기억이 안난다고 했던건가..?"
나는 이동혁을 꼭 만나야 하겠다고 다짐했다.

[긴급 공지]
오늘 학생회 회의가 있으니 6시까지
학생회실로 모여주시길 바랍니다.

사실 뭐라 물어볼지 생각도 안했다.
저번에 그렇게 싸가지 없게 말했는데
이동혁이 날 뭐라 생각할까 싶었다.
보나마나 미친놈으로 생각 하겠지

그렇게 문 앞에서 20분 동안 들어갈까 망설이던
순간 뒤에서 익숙한 목소리가 들렸다.

"오랜만이야, 또 보네"

"아..어 그래 안녕"

"잘 지냈어?"

"그냥 그럭저럭.. 회의 시작 할 텐데 들어가자"

회의를 시작하고 난 뒤
이동혁은 본론부터 말하기 시작했다.

어린 나이에 싸가지 없어 보이겠지만
제가 워낙 바쁜 사람이기도 하고 전시회 준비 중이라,
본론만 말하겠습니다. 이 학교에 지원을 하고 싶은
이유는 딱히 없습니다. 다들 동의하실까요

교수님들은 뻥져있기만 했다.
물론 나도 학생회 전부 다.
어떻게 사람이 여기가 마음에 든다는 게 이유지?

교수님들은 딱히 반대를 안 하셨다.
이동혁은 계약서조차 제대로 읽어보지 않고
사인을 했다.

그리고 이동혁은 네 어깨를 잡아 자기 쪽으로
땅겨온 뒤 한 마디를 더 얹었다.

”아 그리고 이 친구 잘 부탁드립니다.
제가 아주 많이 좋아하는 친구라 서요.“

나는 순간 얼굴이 미친 듯이 빨갛게
달아오르기 시작했다.

”우리 귀하신 화백님이 원하신다면 당연히
잘해 드려야죠 허허..“

교수님들은 애써 웃어넘기시기 바쁘셨다.

”잠깐 나랑 예기 좀 하자 동혁아“

”네가 원한다면 따를게“

나는 이동혁의 손목을 붙잡고 학교에서
좀 떨어진 조용한 술집에 들어갔다.

이모 여기 마른안주 하나 맥주 2병 주세요

"너 여기 자주 와봤구나"

"어, 너 잊고 싶을 때 마다 여기 왔어"

"그렇구나 좀 슬프네"

"어제 너희 회사에 가서 너 그림 보는데
네가 쓴 책이 있더라"

"그럼 다 봤겠네"

"알면 좀 말해주지 그래?"

"나중에 곡 말해줄게"

듣고싶은게 정말 많았지만 괜히
또 아픈 곳 건드리는개 아닐까 무서웠다.

“그래서 우리 어쩌다가 사귄 건데?”

“너 정말 기억 안나?”

“딱 그 부분만 기억이 안돌아 왔어”

“하늘도 참 나쁘네”

“그러게 말이야”

-

나랑 동혁이는 미술 과제 이후 여름에 사귀게 되었다.
물런 주변에서는 반대도 심했었지만
나는 그런 상황에서도 이동혁을 사랑했다.

나와 동혁이 그리고 인준이 까지
무사히 과제를 기간 안에 끝낼 수 있었다.

“미술 과제를 보니 다들 잘해서
발표까지 한번 해볼까?”

“쌤 그건 아닌거 같아요”

“그럼 발표 하지 말고 C 받아~‘

”제일 유명한 동혁이부터 해볼까?“

반 친구들은 절망하던 소리를 내더니
선생님의 말을 듣고 자세를 고쳐 앉기 시작했다.
자신만만하던 동혁이는 그림을 앞으로 들고 나가
기강을 잡기 충분했다.

선생님은 동혁이는 화가라 그런지 역시 스케일도 다르다며
칭찬하기 바빴다.

제 그림의 제목은 예쁜 것은 크게 보아라 인데요
말 그대로 제가 좋아하는 예쁜 것을 그려보았습니다.
처음 본 그 느낌을 떠올려 몽글하게 보이기 위해
색감을 색다르게 써봤습니다. 이상입니다.

발표가 끝나자마자 선생님과 반 친구들은 박수를 치며
환호했다. 같이 그림 그릴 때는 나도 바빴기에 대충 볼때는
그저 예쁜 여자를 그린 거라 생각했었다. 하지만 지금 보니
나를 닮은 거 같았다.

"다음은 동혁이 짝궁이 해볼까?"

내가 불리자 나는 내 그림을 들고 일어났지만
반 친구들이 비웃을까봐 조금 겁나기도 했다.
하지만 그런 내 손을 꽉 잡아주는 이동혁이
내 옆에 있었다.

그러자 입 모양으로 무언가 말하기 시작했다.
잘하고와 홧팅.

나는 떨리는 입으로 하나하나 설명하기
시작했다.

제가 그린 그림의 제목은 첫 만남입니다.
제가 좋아하는 사람을 처음 만난 곳이 학교
미술실이라 가장 마음에 들었던 기억의 장면을
하나의 그림으로 그렸습니다.

딱히 많은 박수를 받지 못할거라 생각했지만
생각보다 많은 박수가 들려왔고

박수가 끝나갈때즘 나는 이동혁의 얼굴을 보았다.
머리가 길어 귀를 살짝 덮었지만 꽤 많이 달아올라
있었다.

서로의 그림이 자신인걸 안 후에는 학교가 마칠 때 까지
아무런 말도 없었다.

자고 일어나보니 야자가 시작할 시간이었고
예체능을 하는 친구들은 가방을 싸서 학교를 나가기 바빴다.

옆으로 머리를 돌려보니 이동혁은 없었다.

"어디간거지..?"

"너 동혁이 찾아?"

"아,,응 어디로 간지 알아?"

"아까 선생님한테 허락 맡고 미술실 가는거 같던데?"

"아, 알았어"

이동혁 정도면 집에 갈수 있을 텐데
왜 집에 안간 거지? 나는 미술실로 발걸음을 옮겼다.
문을 열어보니 밖을 보고 있는 이동혁이 있었다.

"더울 텐데, 에어컨이라도 틀고 있지"

”그렇게 더운 건 아냐 괜찮아“

”나 깨우지 그랬어.. 왜 먼저 가“

”그냥 머리가 좀 복잡해서“

”뭐가 복잡해?“

‘널 좋아하는 게 좀... 복잡해”

이동혁이 날 좋아한다는 말에 확신이 들어
좋았지만 복잡하다는 게 무슨 소리인가 싶었다.

“복잡하다고?”

“네가 날 안 좋아 할까봐”

푸하하, 왜 그렇게 생각하는 거야?
이동혁 입가에는 꼬리가 조금씩 올라가고 있었다.

“그냥 느낌이 그래서, 아님 말고”

“난 너 좋아하는데?”

“응?”

“처음부터 너 계속 좋아했다고, 바보야”

“나도 너 좋아해”

우리는 이렇게 사귀게 되었다.

“기억 나?”

“아직, 그래도 너랑 지내다 보면 돌아오겠지”

“뭐? 나랑 지낸다고?”

“무슨 생각 하는 거야? 그냥 앞으로 볼 일이 많다.
뭐 그런 거지”

하하,진짜 어이가 없네
네가 그런 식으로 말했으면서.. 이동혁은 장난꾸러기 같은 표정을 지으며 술을 마시기 시작했다.

“그래서 우리 오해는 다 풀린 거야?”

“그렇다고 하기에는 네가 아직 좀 밉네”

“너한테 잘해야겠네”

"넌 좀 많이 잘 해야 해"

"그럴 거 같네.."

이동혁은 볼이 빨개질 때 까지 아무 말 없이
술만 마시기 시작했다. 저러다가 집 못가는거 아닌가?

"야야 너 그만 마셔, 그러다가 너 집 못 가"

"네가 데려다줘"

"정신 차려, 나 아직 너한테 그 정도로 해줄 마음 없어"

"그래도 난 너 믿어"

얼마나 마신건지 이동혁 눈이 감길락 말락 하며
테이블에 머리를 박고 잠이 들었다.

끝까지 참 미웠다.

이동혁을 깨우려 별에 별 짓을 다 해봤지만
꿈쩍도 하지 않았다.

“나 너 집 모르는데..”

인준이 에게 전화를 걸어 데려가라고 하고 싶었지만
묘하게 그 누구한테도 이동혁을 넘기고 싶지 않았다.

기분 탓이 아니었다. 내가 원했다.

나는 계산을 끝내고 이동혁 팔을 내 목에 둘러
내 집 까지 데려갔다.

침대에 눕힌 나는 거실에 나가 자려던 그때 이동혁이
뒤에서 내 손목을 잡았다.

“나 평생 미워해도 돼, 원망하면서 살아 그땐 미안했어
근데... 나도 너 버리고 가기 싫었어”

"응, 그래서 원망하고, 미워하면서 살려고 근데 동혁아
근데 네가 미안하다 하면 내가 또 약해지잖아 그래서 네가
미치도록 미워"

이동혁이 떠난건 내 선택이었지만
그 이후가 나를 더 힘들게 만들고 싫어지기만 했다.

-

이동혁과 사귄 뒤로 좋았지만
주변 반대를 피해갈순 없었다.
우린 그저 어리고 약한 학생들이었다.

우린 많은 추억을 쌓았으며 이동혁에게
그림을 배워 미대를 진학하려고 했었던 적이 있었다.
이동혁은 걱정보단 같이 그림을 그릴 시간이 늘었다며
기뻐하기 바빴었다.

나도 함께 기뻐했고 얼마 안지나
학교에서는 우리가 사귄다는 소문이 퍼져나가기
시작했고 응원해주는 친구와 선생님들도 있었지만
아닌 사람들도 있었다.

하지만 이것마저도 추억이라 생각하며
웃고 넘겼다.

하루하루가 지나다 보니
어느새 여름 방학을 알리는 담임선생님의 소리가 들려왔다.
우리는 매일같이 화방에 달려가 그림도 그리며
여름방학을 완벽하게 보낼 계획을 짰다.

제일 먼저 보낼 계획은 바다를 보러 가는 거였다.
이동혁은 여름 바다를 좋아했고 나는 겨울 바다를 좋아했다.

우리는 바다에 갈 때 입을 옷을 서로
골라주며 중간에는 빵 터지기도 했다.

“이동혁 너 혹시 그런 옷이 취향이야?”

“땡땡이가 어때서? 예술가한테는 최고의 의상이지”

그렇게 하루가 지나가고 또 하루가 지나가고
기다리던 여름방학 이었다.

나는 새벽부터 일어나 평소보다 더
예쁘게 꾸미고 같이 먹을 샌드위치도 만들었다.

약속한 바다 앞에서 만나기로한 우리는
서로 놀라기만 했다.

흑발이던 이동혁은 주황색 비슷한 색으로 염색을 했다.

이동혁은 저 멀리서 뛰어오더니 엄청 크게 뜬
눈으로 너무 예쁘다고 안겨왔다.

“오늘 너무 이쁜거 아니야?”

“너 머리가 더 예뻐 동혁아ㅋㅋ”

이동혁은 얼굴이 빨개진 채로 바다에 달려갔다.
흰색 와이셔츠로 얼굴에 오는 햇빛을 가리며
자기는 귀한 몸이니 타면 곤란하다며 이상한 소리를
했다.

시원한 바다에 발도 담그고 서로 물장난을 치며
배고플 땐 내가 만들어온 샌드위치를 보며 동혁이는
이걸 아까워서 어떻게 먹냐고도 했다.

이렇게 하루가 지나갔다.

방학동안 우리는 하루도 빠짐없이 만나며
할게 없을 때는 화실에 가서 그림만
하루 종일 그리곤 했다.

어쩔 때는 불꽃이 보고 싶다며
무작정 가자는 이동혁이 웃기기도 했던 날도 있었다.

“더워 죽겠는데 무슨 불꽃놀이야 혁아..”

“여름에는 불꽃이지”

“언제는 바다라며”

“그건 네가 좋아하는 거지”

분명 여름 바다가 좋다고 내 귀로 똑똑히 들었는데
시치미 떼기 장인이었다.

불꽃 터지는걸 처음 보는거 같은 이동혁은
신기하다며 내 손을 잡고 두 발을 굴렀다

“그렇게 좋아?”

“너랑 봐서 더 좋아”

우리는 불꽃을 마지막으로 여름을 떠나보냈다.

우리는 개학을 하고 나서도 서로가 껌딱지처럼
붙어다녔다. 그러다가 좋은 소식이 들려왔다.

학교에서 다시 가져간 미술실을 다시 준다는 것이었다.

우리는 새 학기부터 운이 좋다며 반이 아닌
미술실에서 등교하고 하교하기 시작했다.

학교에서도 미대 준비를 한다는 나를 적극적으로
응원해주기 시작했고 놀기만 하며 나를 포기했던 부모님은
드디어 정신이 돌아 온 거냐며 부둥켜안고 우시기도 했다.

그렇게 정신없이 지나가는 가을을 보내고
이동혁이 좋아하는 겨울이 왔다.

자고 일어나보니 밖에는 눈이 내리고 있었다.

이걸 동혁이가 보고있을거란 생각에
나마저도 기분이 좋았다.

밖에 나가보니 사람들은 패딩을 입고
출근을 하거나 학교에 가는 학생들이 있었다.

가슴이 시렵던 겨울이지만
고3의 마지막을 알리는 계절이기도 했다.

학교에 가보니 친구들은 대학교를 정하기 시작했고
하나 둘씩 교무실에 불려가 반에 들어올 때는 울면서
들어오는 친구들이 더 많았다.

“혁아 미술을 안했다면 저게 내 미래였겠지?”

“아마도? 그래도 실력이 있어서 다행이야‘

”다행이네“

겨울이라 그런지 말 수가 줄어든 우리는 한참 더
성숙해져 있었다.

우리는 미술실에 가기 전에
서로의 상담을 끝내야 반을 나갈 수 있었다.
얼마 안지나 내 이름이 불렸고 교무실에 들어가
선생님과 이야기를 나누기 시작했다.

"대학 가고 싶은 곳은 정했니?"

"제 성적이 좋은 편은 아니라 실기 비중이 높은
곳으로 지원 하려고요'

"그래, 동혁이랑 잘 상의 해봐 이젠 알아서 잘 하는
애들이니 선생님도 딱히 할 말이 없구나"

"네, 감사합니다"

교무실을 나와 반에 들어가 다음 타자인
이동혁을 불렀다.

“동혁아 이제 너 차례야”

“선생님이랑 잘 이야기 했어?”

“응, 선생님이 너랑 잘 얘기 해보래”

“그렇구나, 다녀올게”

나처럼 빨리 끝날 거 같던 상담이 10분 20분
길어지더니 1시간째 반에 들어오지 않았다.

나는 무슨 이야기를 그렇게 하는지 궁금해
교무실로 걸어갔다.

교무실 문이 살짝 열려있어서 그 사이로 귀를 대고
듣기 시작했다.

“저 졸업하는 날에 다시 외국가요”

저게 무슨 소리지? 외국에 간다니?
나는 당장이라도 이동혁에게 가서 묻고 싶었다.

"외국 나간다는 건 알려줬니?"

"아직 말 못했어요 조만간 말하려고요"

"그래, 딱히 참견은 안하겠지만 끝까지 숨기고
떠나지만 않았으면 좋겠구나"

"새겨들을게요"

나는 이동혁이 사정이 있어서 말을 못하는 거라 믿었다.
떠나기 전에는 말해주겠지.

대학을 같이 못간다는건 아쉬웠다. 하지만
이동혁의 꿈을 알았던 나는 어떠한 말조차 하지 못했다.
내가 잡으면 꿈을 짓밟는 행동이니까.

나는 미술실로 달려가 아무 일도 없었다는
듯이 나머지 입시 그림을 그리기 시작했다.

-드르륵

미술실 문이 열리더니 이동혁은 뒤에서 나를 안았고
고개를 푹 숙인 채 아무 말이 없었다.

본인도 많이 힘들겠지 싶어 먼저 입을 열었다.

"네가 제일 좋아하는 겨울 바다 보러가자"

"지금?"

"응 지금"

무작정 떠난 바다지만
겨울 바다라 그런지 이 상황이 더 힘들게 느껴졌다.
근데 내가 힘들다고 이동혁 만큼 힘들까
나도 힘든데 본인은 얼마나 더 힘들지 상상이 안갔다.

우리는 차가운 모래에 앉아 아무 말 없이
바다만 쳐다봤다.

“너는 나 아직 사랑해?”

“난 여전히 좋아해 동혁아”

“그렇구나”

“네가 떠나도 나는 계속 기다릴 거야”

그러고 나서 며칠이 지났을까
졸업식은 어느덧 10일이 남았다.

오늘 마지막 실기 시험이 있는걸 알고 있는
이동혁은 시험이 끝날 때 까지도
아무런 연락이 없었다.

그렇게 서서히 만나는 시간이 줄어들었다.

내 대학은 성공적으로 합격을 했지만
끝까지 연락이 없었다. 점점 미워져 갔다.

힘든 건 알겠지만 말해주는게 그렇게 어려운가..
축하 연락 한번이 어려운가 그래도 여친인데
조금 섭섭했다.

그러다 카톡에 1 이라는 숫자가 떴다.
동혁이였다.

[나 할 말이 있는데 바다에서 볼까?]

얼마만의 연락인지 감도 안왔다.

나는 서둘러 옷을 갈아입고 버스 정류장으로 갔다.
제대로 차려 입고 나오지 못해 온몸을 떨면서 그렇게
버스를 30분이나 기다렸다.

버스 안은 따뜻했지만 오늘이 마지막일 거란 생각에
내 마음은 더운 공기 때문에 더 답답해져 가기 시작했다.

바다에 도착하니 저 멀리 노래에 앉아있는 이동혁이 보였다.

"나 왔어"

아무 말이 없었다. 나는 아무 말이 없는 동혁이에게
화가 나기 시작했다. 보고 싶다는 말도 안하는구나
괜히 왔네, 나 갈게

발걸음을 돌리려던 순간이었다.

"우리 그만 만날까?"

어이없었다. 외국 나가서 못볼거 같다는 말이 아닌
이별을 고하는 말이라니

"너 나 안 사랑해?"

"응 더 이상 사랑하지 않아"

"너 외국 나간다는 거 다 들었어, 사실대로 말하려면
기다린다고 할려 했는데 너 이제보니 참 별로네."

"미안해 부모님 선택이었어. 언제부터 인지 모르겠지만
만나고 있다는 사람이 있다는 걸 알고있으셨나봐"

"너 나 좋아하잖아 그렇잖아 왜 거짓말해"

"미안해, 정말로 사랑하지 않아"

"우리 사랑이 이렇게 쉬웠어..?"

"응, 쉬웠어"

"그래 우리 다시는 보지말자 사랑했어"

이동혁이 아니라고 말하길 바랬었다. 서로 진심인
연애 같았으니까.

이동혁을 만나면서 하루하루가
영화 같다는 생각을 했었다.

이제는 나 혼자 지독하게 사랑한 영화로 변해버렸다.

이동혁은 결국 졸업식 마지막 날 까지도 모습을
보여주지 않았다.

[오늘 졸업했어, 잘 지내]

이동혁은 폰 번호까지 바꾸며 사라졌지만 지금 우리는
내 집인 같은 방 안에 함께 있었다.

여름에 만난 동혁이는 상처가 많은 아이였고
겨울에 본 동혁이는 조금 더 성숙했고
지금 여름에 다시 본 동혁이는 어른이었다.

자고 일어나보니 이동혁은 사라져 있었고
식탁 위에 메모 한 장이 올려져 있었다.

고마웠어 나중에 또 보자

010-XXXX-XXXX

고마웠어 라는 말은 미워하고 싶지만 더 이상 미워하게
만들 수 없는 말이었다.

사과 까지 받은 나는 더 이상 이동혁을
미워할 필요가 없다고 생각했다.

그동안 힘들었던 거에 비해 마음이 쉽게 풀린다는 게
마음에 들지는 않았지만
어제의 모습을 보고 다시 한 번은 믿어도 괜찮을 거
같다고 느껴졌다.

핸드폰 알람 소리가 울렸다.

-띠링

인준이었다.

[너 어제 이동혁이랑 만났어?“]

[응 왜?]

[둘이 오해 풀었다며? 축하한다]

[그냥 대충 풀었어]

[나중에 부르면 나오기나 해라~]

[그래]

이동혁은 그때 이후로 연락을 하거나 만날 시간은 없었지만
학교에 적극적으로 지원해주기 시작한 후로 학교에
출석 도장을 찍듯이 매일매일 와서 나를 지켜보곤 했다.

"이제 좀 가지? 전시회 한다며"

"그렇긴 한데 난 네가 더 중요한데"

"조용히해 여기 우리 둘만 있는거 아니야"

"아, 인준이가 오늘 술 먹자는데"

"너는"

"가야지"

”그럼 나도 가야겠네“

이동혁은 만족한다는 듯이 미소를 지었다.

이동혁은 약속시간 전까지 내 옆에 있으며
꼰대같이 내 그림에 훈수를 두기 시작하였다.

”그 부분은 그렇게 하면 탁해 보이지“

”내 그림이거든? 훈수 그만 해줄래?“

”이 학교에 지원하는 사람은 나거든?“

”그거랑 뭔 상관이야?“

”화가로써 그러는 거야“

”웃기시네“

"드디어 다 끝났네"

망할 교수가 내준 과제를 다 끝냈을 때 그 쾌감은 정말 짜릿했다.

"이동혁 이제 가자"

"이동혁..?"

이동혁에겐 신경도 안쓰고 그림에만 집중했던 나는 이동혁이 잠든지도 모르고 있었다.

"이동혁 너 안일어 나면 버리고 가버린다?"

"아, 으응 간다 가.."

바보같이 침을 흘리면서 자고 있었지만 내 한마디에 눈을 뜨며 자리에서 일어났다.

약속한 식당 앞에 도착한 우리는
먼저 와서 기다리고 있는 인준이를 보고 식당 안에
들어갔다.

”와 진짜 오랜만이다 동혁아ㅋㅋㅋㅋ“

”어엉 나도 오랜만ㅋㅋㅋㅋ“

”이모 여기 삼겹살 3인분이랑 김치찌개 하나
소주 2병 주세요“

”동혁이가 좋아하는 김치찌개 시켜주는거봐“

”김치찌개 없으면 그렇게 난리 피우는데 어떻게 빼먹겠냐?“

”나 이제 그 정도는 아니거든?“

”웃기지마. 인준아 얘 오늘도 우리 과 건물에서 김치찌개
배달 시켜먹었어ㅋㅋ“

김치찌개 단어는 어색함을 풀기에 좋은
소재였다.

어색함이 사라지고 술을 마시며 점점 달리던 때
인준이가 말을 했다.

"그럼 너희 오해 다 풀었으니까 다시 사귀는 건가..?"

이동혁은 나와 인준이를 번갈아 보기 바빴고
나는 허공만 바라본 채 깊게 생각했다.
신중하게 결정해야 할 거 같은 질문이기 때문이었다.

"아직 내가 모르는 일이 있어서 그거
풀면 생각해볼게"

”너희 오해 다 푼거 아니었어?“

”응, 아직 하나 남았어“

”그때 책에 기억 잃었다는 그 내용 말하는 거지?

“잘 아네, 언제까지 비밀로 하려고?”

“나중에 말하려 했어”

“난 우리 둘 사이에 비밀 있는거 싫어”

내 말 한마디에 기껏 올린 분위기가 한순간에
무거워져 갔다.

그때 너랑 헤어지고 나서 외국으로 가는 당일에
너무나도 가기 싫은거 있지? 이동혁이 떨린 목소리로
입을 열었다.

부모님은 널 보러 갈려는 나를 막으시는걸
무시하고 뛰어가는데 그때 교통사고가 났어
그때 머리를 심하게 다쳐서 기억 절반은 날아가고
너 얼굴도 너 목소리도 점점 잊어가기만 해서
너무 내 자신이 싫었어.

꼭 내가 나쁜 사람 같았다. 나쁜 년일지도 모른다.
이동혁은 날 한 번도 싫어하지 않았고 오히려 내가
그렇게 오해하고 혐오 했던것이였다.

"'그럼 번호는 왜 바꾼 거야"

"아버지가 바꾸셨어 우리가 만난것도 인준이가
다 도와준 덕분이야"

나는 인준이를 쳐다봤고 조금 괘씸하다는 생각도
하였다. 다 알았으면서 숨기고 살았던 인준이는
머리를 긁적이며 멋쩍은 웃음을 지었다.

“동혁아 미안, 그동안 내가 나쁜 년이었네”

무릎을 살면서 한 번도 꿇어본 적이 없는 나는
인생 처음으로 이동혁 앞에서 무릎을 꿇고
머리를 숙였다.

동혁이 아버지가 반대 하셨다는 걸
알았지만 그 이후 몇 년 동안 사고 사실을
모른 채 사람들 앞에서 창피까지 준 내 자신이
한심해질 지경이었다.
마음 같아선 시간을 돌리고 싶었다.

무릎을 꿇었던 내 행동에
이동혁과 인준이는 당황한 모습이었고
많은 사람들이 날 쳐다보기 바빴다.

바닥만 보며 이동혁이 한 방울씩 떨어지려던 그때
이동혁이 나를 일으켜 세웠다.
다 용서하겠다는 웃음을 지고 있었다.

“용서 할 테니까 그런 표정 짓지마”

“내 표정이 구려?”

“아니. 보면 마음이 아파”

“준아 오늘은 여기까지만 하고 째지자”

“그래 그게 좋겠다.”

내 얼굴에서 다 티가 난건지
이동혁은 당분간 지낼 곳이 필요하다며
나에게 물었다.

“난 상관없어”

이동혁은 한참을 깊게 생각하다 우리 어릴 때
진짜 재미있게 놀았는데 라며 웃으면서 말했다.

기억이 아직 온전하지 않다는 건 알고 있었지만
그것마저도 이 분위기를 살려볼려는 노력이 기특했다.

우린 다시 많은 이야기를 했고
이동혁 기억에 사라진 내용들을 다시 알려주면서
집으로 천천히 걸어갔다.

"여기가 너 집이야?"

"응 근데 과제물 때문에 좀 더러워"

"안치우고 사는게 아니라?"

"죽고 싶지?"

"저번에도 꽤 더러웠던.."

"나가"

이동혁은 꼬투리를 잡으며 날 놀리기 바빴다.
옷 가져다 줄 테니까 너 먼저 씻어 대화를 끊기 적당했다.

이동혁이 다 씼고 나도 잘 준비를 마치고 화장실을
나왔을 때에는 드라이기를 들고 머리를
말려달라고 기다리고 있는 이동혁이 보였다.

"말려줘"

"싫어"

왜? 참 끝까지 끈질기게 물어본다.
넌 다 큰 성인이니까 네가 애기도 아니잖아?

“남친이잖아”

음? 우리가 언제부터 사귄 거지?
설마 집 허락해준 그때부터인가?

“있잖아 너만 그렇게 생각하는 게 아닐까”

“아니야? 그럼 난 너한테 뭐야?”

솔직히 잘 모르겠다. 좋아하는 감정이 아예 없다고 하면
그건 너무 거짓말이다.

“그냥 스승님..?”

“내가 왜 너 스승이야”

“그림 알려줬으니까”

"그럼 보답해야지 내가 스승인데"

"뭐?"

"스승이라며 세상에는 공짜란 건 없어"

"그래.. 원하는 게 뭔데?"

"너 옆자리"

플러팅을 쳐도 이렇게 치나...
훅 들어오는 게 고딩때도 아마 이런 모습을 보고 반했겠지

"시간을 줘"

"얼마나? 난 오래 못 기다려"

한 달이면 내 마음이 결정 나지 않을까 생각했다.
한 달만 줘

"그래"

우린 그렇게 잠이 들었다.

아침에 일어나보니 이동혁은 없었다.
바쁘다더니 먼저 간건가 말이라도 해주고 가지.
씁쓸했다. 내 집에 누군가가 들어온게 처음이여서
더 그러했다.

핸드폰을 들어 전화하려던 그때 벨 소리가 울렸다.
이상하다 이른 아침부터 올 사람이 없는데

“누구세요?”

“나야”

짧고 굵은 한마디에 누군지 알기 쉬웠다.
이동혁 목소리는 일반 사람들과 다른 특이한 목소리였다.
여자 같은 중성적인 목소리가 강했다.

“집 들어간 줄 알았는데”

“네가 있는데 왜 가”

할 말이 없었다.
예전이라면 나는 웃거나 좋아하며 맞장구치겠지만
지금은 그렇고 그런 사이가 아니니 어정쩡하게
웃는 방법 밖에 없었다.

“냉장고에 먹을만 한게 없어서 사서 왔어”

“아..응 고마워”

“밥은 챙겨먹고 다녀 걱정된다.”

‘너보단 잘 먹어“

이동혁은 배를 잡으며 웃었다.

”넌 여기서 얼마나 지낼 생각이야?“

”그건 비밀이고, 오늘 뭐해?“

”나도 비밀이야“

”비밀이라니 좀 아쉽네“

”네가 아쉬울 게 있나?“

”데이트 신청하려고 했지“

내가 보던 어린 이동혁은 저 정도로 자신감이 있지 않았는데 많이 바뀌어져 있었다.

매번 그저 놀랍기만 할뿐이다.

데이트 신청이라는 단어가 조금 웃기긴 했지만
나쁘지 않았다.

"좋아"

이동혁은 나갔을 때 사온 옷을 입으며
같이 가줬으면 하는 곳이 있다고 말하였다.

"어디인데?"

"그냥 알만한 곳..?"

처음에는 그러려니 하며 해봐야 같이 다니던
화실이겠구나 라고 생각했다.

나와 이동혁은 준비를 다 하고 유명한 맛집이 있다며
내 손을 잡고 어디론가 향했다.

"얼마나 더 가야해?"

"거의 다 왔어"

"여기는.."

"기억나? 방학 때 예쁘게 꾸미고 만난 날에
여기 왔었잖아"

"그래 그랬었지 도시락으로는 배가 안차서
다급하게 온 기억이 난다.."

"진짜 맛있었는데"

"그러게"

기억을 조금씩 찾아가는 모습에 대견하다고 느꼈다.

주인장이 바뀐 건지 맛은 조금 달라졌지만
추억이 다시 생각나서 기분이 묘했다.

밥을 먹고 난 후 모래사장을 걸으면서
이동혁은 점점 말 수가 적어지기 시작했다.
그러다 꽃집에 들어가 이름 모를 꽃을 사가지고
나왔다. 나한테 줄려는건가 라는 생각도 했다.
하지만 그 꽃은 내가 받을 꽃이 아니였나보다.

말없이 한참을 걷다 정신을 차려보니
납골당이었다.

"너 설마.."

"어머니 같이 보러오고 싶었는데 괜찮지?"

이동혁의 어머니가 위태로우신건 알았지만
아무런 기사가 없었기에 당연히 잘 지내고 있으신 줄만
생각했다.

”나는 어머니가 잘 지내고 있으신 줄 알았는데..“

”어머니가 돌아가시기 전부터 기자들 입막음을 시키셨어“

”도대체 왜..?“

”그건 나도 잘 모르겠네“

이동혁 눈 주변이 천천히 붉어지기 시작했다.

어머니의 자리를 찾은 이동혁은 어린 아이처럼
숨이 넘어가도록 울었다.

이럴 땐 어떻게 해야 할까 깊게 생각했다.
울지말라고 할지 아님 같이 울어줘야할지
아님 조용히 안아주어야 할지

울다가 진정이된 이동혁은 미안하다며 사과를 했다.
난 그저 괜찮다고 안아주는 게 최선이었다.

그 이후로 시간이 지나며 이동혁은
규모가 큰 전시회 때문에 바빠지기 시작했고
처음에는 여기 있어도 괜찮다고 했지만
자기는 그렇지 않아 집에 늦게 들어오는 게 미안하다며
짐을 싸서 자기 집으로 돌아갔다.

당연히 연락하는 빈도는 줄어들었고
2주에 한번 만날 수 있었다.
그 잘난 얼굴을 자주 못본다는게
마음이 썩 좋진 않았지만
오랜만에 볼때마다 설레기만 했다.

그렇게 계절이 또 지나가며
어느새 가을이 되었다.

이동혁의 전시회는 일이 잘 풀렸다가
아니다가 반복을 하는지 점점 지쳐가는게 눈에
보일 정도였다.

”많이 힘들어?“

”응 좀 많이 힘드네“

전시회가 계획대로 흘러갔으면 이미 초대박을
치고 마무리를 지었을 시기지만 곧 졸업인 나는
졸업 작품 때문에 서로 바빠지기만 하고
서로가 살아있는지는 남한테 듣곤 했다.

한 달 만에 만난 이동혁은 매우 피곤해 보였고
정신병원을 다닌다는 이야기를 전해 들었다.

”우울증이래“

그 한마디를 듣고 나서 많은 생각들이 스쳐지나갔다.
조금 쉬는 게 어떠냐고 말을 먼저 꺼내야 하나..

”너무 힘들면 조금 쉬는 게 어때?“

”아니야 거의 다 했어“

애써 웃음으로 아무렇지 않은 척 커버칠려는게
안쓰럽기만 했다.
나한테 만큼은 솔직했으면 싶었다.

"근데 넌 결정 다 했어?

“무슨 결정?”

“까먹었어? 난 대답만 기다렸는데”

“아 그거...”

솔직히 내 마음을 솔직하게 말한다고 해서
이동혁 정신 건강에 좋을지가 더 걱정이 들었다.
지금 사귀어서 서로 더 신경 쓰는 거 보단
모든 일이 어느 정도 끝난 후에 사귀는 게 맞다고 생각을
했다.

“동혁아 난 우리 둘 다 안정된 상태에서 사귀고 싶어”

이동혁은 그 말에 동의한다는 듯이 고개를 끄덕이며
그렇게 하자고 받아들였다.

동혁이의 전시회는 점점 마무리가 되어갈쯤
마무리인 만큼 무너져 가고 있는 모습을 볼 수 있었다.

그 날 이후로 서로에게 힘을 더 주고 싶어
사랑한다고도 말해줬지만 이동혁이 사랑을 더 많이
표현했었다.

하지만 이젠 그러한 사랑표현 마저도 많이 힘든 건지
나를 만나면 짜증이 섞인 말투나 표정이
쉽게 보였다.

그래도 이 일만 끝난다면 동혁이도 괜찮아질 거라며
그렇게 계속 기다리고 기다렸다.

하지만 연인도 오래 못 사귄다는 말이 있다는 듯이
연인이 아닌 우리도 오래 좋은 관계를 유지 못하며
결국 바라지 않았던 싸움이 일어났다.

길었다면 긴 시간이며 짧았다면 짧은 시간 이였지만
그 시간만큼 동혁이의 상태는 더욱 더 나빠져 가고 있었다.

이러다가 정말 잘못될까봐 계속 거절한 이동혁을
열심히 설득해서 겨우 병원에 데려간 나는 의사에게
충격적인 말을 들을 수밖에 없었다.

"이정도면 많이 힘들었을 텐데 지금까지도 버텨오신게
대단하시네요 조금만 더 늦으셨어도 정말 위험했습니다."

나는 순간적으로 할 말을 잃었다.

“일단 약을 드릴 테니 잘 챙겨 드세요”

나와 이동혁은 아무 말도 없이 진료실을
빠져나왔다.

아무생각이 들지 않고 귀가 멍멍힌 상태에서 이동혁이
입을 열었다.

“너까지 힘들까봐 말을 못했어”

“그래도 어느 정도는 말을 해줬으면 좋았잖아”

“미안해 정말”

“어른이면 알아서 약 챙겨먹고 나 걱정하게 만들지 마”

또 말이 잘못 나간걸 말하고 나서야 알았다.

“동혁아 내 말은 그게 아니라..”

“이럴까봐 내가 말을 못한 거야”

"동혁아 미안해 정말 그렇게 말할려던게 아니었어"

진심으로 사과하며 붙잡았지만 이동혁은 당분간
연락하지 말자는 말을하고 병원을 나갔다.

D-1

전시회가 하루를 남겨두고도 연락 한통도 없었다.
물런 문자며 카톡이며 내가 미안하다고 사과를 정말
많이 했지만 1이라는 숫자는 끝까지 남아있었다.

그리고 전시회 당일인 그 날에도 읽지 않았다.

대부분 첫날에는 작가들이 있으니
자연스럽게 가서 이야기를 해볼 생각으로 준비를 시작했다.

준비는 말할 것도 없이 머리부터 발끝까지 이동혁
취향으로 맞추고 가는 길에 잘 어울리는
꽃도 하나 샀다.

입구에 도착하니 사람들은 입장 시간 전부터
훨씬 많이 와있었고 이동혁의 인기 체감을
한 번 더 느꼈다.

대기실 쪽으로 찾아서 들어가 문을 열어보니
이동혁이 있었다.

"잘 지냈어?"

이동혁은 당황한 눈빛을 보이며 인사를 했다.

"아..응 왔어?"

“내 연락 안읽었더라?”

“미안”

“나는 그 말 들으려고 온 게 아닌데 동혁아”

“그럼 뭔데?”

“사과하러 온 거야”

이동혁은 다급하게 자리에 일어나서
말을 더듬으며 사과하지 말라고 자기 잘못이 더 크다며
말을 했다.

“그래도 미안한건 미안한 거야 동혁아”

“사과하지 말래도..”

“약은 잘 챙겨먹었어?”

“당연한 소리를”

“ 아 맞다”

나는 사온 꽃을 건네주었다.

“너의 꿈을 이룬걸 축하해 동혁아”

이동혁은 우울증이 아닌 사람처럼
많이 기뻐했고 꽃 향이 꼭 나랑 비슷하다며
붉은 홍조를 띄웠다.

전시회는 이때까지 다 본 그림이였어서 새로운 그림은
없었다. 그래도 정말 많이 노력했구나 라는건 한번에
느낄 수 있었다.

전시장에서 나온 우리는 곧 바로 인준이를 만날 수 있었다.

“뭐야 네가 여길 어떻게 왔어?”

“우리 동혁이가 전시회를 한다는데 멀어도 당연히 와야지”

“뭐라고? 우리 동혁이? 동혁이는 내 사람이야”

하하하

이동혁은 뭐기 웃기다는건지 배를 잡고 웃으며
크게 웃었다.

“난 너희가 있어서 참 다행이라 생각해”

우리는 안잡던 손도 서로 잡으며 유명하다는
음식점에 가서 밥을 먹었다.

"인준아 너는 서울 언제 갈려고?"

"나는 과제 때문에 내일 아침 비행기"

"너는 언제 갈려고?"

"난..."

"나랑 같이 가야지"

옆에서 훅 들어오는 동혁이의 목소리였다.

"혁아 그 정도면 그냥 사겨 빨리"

"알아서 잘 할 테니 신경 끄시죠?"

"네네"

우리는 그렇게 밤이 깊어질 때 까지 이야기를 하며 놀았고
도진이는 비행기 때문에 먼저 가본다며 자리에서 일어나
식당을 빠져나갔다.

술은 기분이 딱 좋을 정도로만 마시고 난 뒤
호텔로 가려던 참에 주변이 갑자기 시끄러워지기 시작했다.

그렇다 이 유명하고 유명한 이동혁을 알아본 것이다.
사람들은 내가 누구냐며 무슨 사이냐고 달려들었다.

이동혁은 내 팔을 끌어당겨 자기 등 뒤편으로 날 숨겼다.

"아,, 나 때문에 또..."

"너 때문에 아니니까 정신 차려"

그 말 한마디에 술이 확 깨버렸다.

동혁이는 이 상황이 지독하게 싫은 건지 무슨 사이냐고
물어보면 조금의 생각도 없이 나를 여자 친구라고 말했다.

사람들은 당황하며 카메라 소리가 줄어들더니
자리를 떠나갔다.

“괜찮아?”

“난 괜찮아”

우리는 아까와 같은 일이 또 일어날까 무서워서
호텔로 뛰어갔다.

동혁이와 나는 같은 방이 아니어서
많이 아쉬운 눈빛만 잔뜩 보냈다.

“그런 눈빛 보내지 말고 빨리 가”

방에 도착한지 얼마 지나지 않아 똑똑 소리가 들렸다.

"누구세요?"

"너 남친이요"

문을 벌컥 열었더니 정말 김진서가 있었다.

"네가 왜 남친이야?"

"음? 시귀는거 아니었어?"

"뭐?"

난 고백을 받은 적도 없는데.. 내가 언제 고백을 받았지..

"저기요?"

"아. 으응"

"아직 더 생각해야해?"

"아니 그건 아닌데.."

“그럼 뭔데?”

답답해서 미칠 지경이다. 애초에 고백을 받은 적이 없는데
갑자기 사귀는 사이 아니었냐는 말이라니 참 낭만도 없다.

“난 고백도 안한 남자랑 사귀는 사이로 만들기가 좀 그래”

“아 뭐야 그런걸로 지금 이러는 거야?”

“아니 그게 아니라.”

“좋아해”

쾅

놀랍겠지만 훅 들어오는 고백 때문에
문을 실수로 닫고 말았다..

“야 문 열지?”

"아니 그게 아니라 나도 너무 당황해서"

"싫구나? 알았어 나 갈게"

"아니 나도 좋아해"

"뭐라고?"

"좋아한다고 이동혁"

거의 반은 미쳐 눈가에 눈물이 고인 채 고백을 했다.

우리는 그렇게 겨울에 영화 같은 이별을 하고 다시
영화같이 좋은 날인 여름에 만나게 되었다.

동혁이의 전시회는 그렇게 무사히 끝이 났다.
인기가 많았던 전시회는 순식간에 표가 매진이
뜰 정도였고 한국에서도의 실시간 검색어
1위는 가벼운 정도였다.

하지만 외국인들이 찍은 우리 사진은
인터넷 곳곳에 퍼지기 시작하며 학창시절 친구들에게도
연락이 쏟아지고 문자에는 기자들의 연락이 와있었다.

당황한 나머지 이동혁은 내 폰을 가져가 폰을
꺼버렸고 상황이 점점 더 커지니 아무런
힘이 없는 나를 대신해서 이동혁이 발을
움직이기 시작하였다.

그렇게 며칠이 지났을까

기사들이 순식간에 없어지고 사진과 동영상마저
삭제된 영상으로 바뀌어 있었다.

“기사 다 내려간 거 봤어”

“아 응”

“어떻게 한거야?”

“아버지한테 부탁했어”

재벌들은 다 돈으로 해결이 쉽게 가능하다더니
진짜였구나. 이동혁은 토끼 같은 눈으로
대처가 마음에 안들었냐며 물어봤다.

사실은 대처가 마음에 안든게 아니라 그냥 조금 놀랐을
뿐이다. 남들은 자기 사진이 인터넷에서 떠돌면 극심한
불안감을 느끼고 고소까지 한다던데 이동혁 같은 좋은 집안은
고소 없이 돈으로 기자들한테 돈만 쥐어주면 끝난다는 게
나와는 너무 다른 세상 같았다.

“아냐 그냥 궁금해서 물어본 거야”

“아 그래? 밥은 먹었어?”

“당연한 소리를”

아 다행이네.. 사실이지만 오랜만에 놀리고 싶어서
한 말을 저렇게 속상하게 받아들이다니
너무나 내가 생각한 반응이라 조금 귀여웠다.

그리고 더 좋은 소식이 있다면 오랜만에
병원에 간 우리는 좋은 말을 들을 수 있었다.
약을 꾸준히 잘 먹으며 노력한 덕분에
많이 괜찮아진 상태라며 웃으면서 진료실을 나왔다.

지금 같은 상태라면 이동혁한테는 뭐든지 해줄 수 있을
거 같았다. 이동혁은 기분이 좋으니 여행을 가는게
어떠냐고 들뜬 기분으로 물어봤다.
내가 자기 얼굴에 약한걸 잘 알고 있는 이동혁은
얼굴을 들이밀며 제발 가자고 쪼르기 시작했다.

도저히 이 길수 없는 얼굴에 나는 그래. 가자라고
같이 장단에 맞춰주며 우리 집으로 돌아가 여행 계획을 짜기
시작했다.

사건지는 얼마 지나지 않았지만 어릴 때 사건걸 생각해서
그리고 이동혁을 충분히 믿었기 때문에 충분히 걱정 없이 잘
다녀올거라 생각했다.

우리의 여행은 가볍게 일본으로 잡았다.

숙소를 정하고 무엇을하고 뭘 먹을지 정하는 중간 중간에
이런 생각이 자꾸만 들었다.
일이 많아서 학교 과제들이 무더기로 쌓여있었고 당장
내일 제출이 마감인 과제들이 있었지만 어쩌지
라는 부담감 보다 지금은 이 남자한테 집중하고 싶은 생각만
가득했다.

“이정도면 충분히 놀겠지?”

“충분히가 아니라 진짜 많은데..”

“아,, 그럼 조금만 줄일까?”

“아니! 동혁이 하고싶은거 다 해”

“응ㅎㅎ”

여행 계획표가 5페이지가 넘어갈 정도로
정말 많았다. 정말 돌아다니다가
죽는게 아닐까 싶을 정도로..

하지만 저렇게 행복한 웃음을 보니 나도 덩달아
기분이 좋아져 입 꼬리가 올라가기 시작했다.

동혁이와 나는 여행을 가기 전
자기가 해야 하는 일을 최대한 끝내두는것이였고
해야 하는 일이 많은 만큼 연락도 밤에 잠깐 하는 수준에다
가동혁이 보다 내가 더 바빠지기 시작했다.

과제 때문에 하루하루가 지쳐가고 교수를 원망하는
생각만 가득하던 날에 학교 에타가 뒤집어졌다.
그것도 실시간으로 왜지? 하면서 핸드폰을 켜
확인해보니 이동혁이 미대쪽 건물에 있다며
댓글에는 번호 물어보겠다는 말이 있었다.

어차피 내 남자인데 거절당할 생각을 하니
조금은 웃겼다. 혼자 미친 사람처럼 웃으며 마저
다른 게시물도 보고 있을 때 이동혁이 문을 열고 들어왔다.

“보고 싶었어”

보고 싶었어 라는 한마디에 달려가 안겼다.
힘들었던 게 사라지는 느낌이였달까

“나도 보고 싶었어”

이동혁은 더 힘 있게 날 껴안았고
차가웠던 온기가 따뜻해지기 시작했다.

“어떻게 여기까지 왔어?”

“너 밥 먹이려고 애들한테 다 들었어”

나쁜 놈들 그렇게 말하지 말라고 부탁했는데
이것들을 죽여 야하나

“애들 죽일까 생각하고 있지?”

“뭐야 어떻게 알았어?”

“척보면 척이지 자기야”

“뭐야 내 생각 훔쳐보지 마”

하하 빨리 내 손이나 잡아 밥 먹으러 가자. 자기야 라는 말에
귀가 급속도로 빨개졌다 이런 애라면 내 모든 걸 다 줘도
괜찮겠다고 생각했다.

오늘은 여행가는 날
이동혁은 외국을 자주 가면서도 뭐가 그렇게 좋은 건지
전날부터 배시시 하게 바보처럼 웃길래 꽤 고생을
많이했다.

“이동혁 넌 뭐가 그렇게 좋아?”

“뭐가?”

“어제부터 자꾸 웃잖아 바보처럼”

“바보라니,, 당연히 너랑 가는 여행이니까 좋은 거지”

“뭐,, 그건 귀엽네”

이동혁은 볼이 타오를 정도로 순식간에 빨개지며
얼굴을 돌려 부끄럽다고 했다.

비행기 탑승까지 마친 우리는 창문 밖을 보며
너무 신나는 바람에 어쩔 줄 몰라 초등학생이 된 기분이었다.

비행기가 뜨는 순간에도 비행기 처음 타보는
사람처럼

오오 뜬다!

동혁아 비행기가 떠!

정말 부끄럽지만 여행 동안에는 행복하길 바랐다.

일본에 도착한 우리는 기차를 타고 이동하여
삿포로에 도착을 했다. 벌써 가을이 지나고 겨울이라니

“동혁아 눈 정말 많이 온다”

“응 너무 예쁘다”

눈이 많이 와서 교통수단이 조금은 불편했지만
정말 가고 싶었던 곳 중 하나이기 때문에
이곳은 정말 예쁘구나 라는 생각만 들었다.

한국에서 보는 눈과는 차원이 달랐으며
눈 알갱이와 그 촉감 까지도 미세하게 전부 달랐다
이래서 다들 눈은 삿포로라고 하는구나,
오길 정말 잘했다.

포토 존으로 유명하고 이미 sns에서는 핫한
나무에서도 2시간이나 기다려 사진도 찍었다.

그다음에는 유명하다는 꼬치 집에도 가서 배가 터질 정도로
먹었다. 꼬치 자체가 배부르게 먹을 정도의 음식은 아니지만
고기 사이에 있는 당근이나 파가 정말 맛있었다.

"일본은 뭔가 한국에도 있는 거여도 다 다른거 같아"

"일본이라서 더 그런게 아닐까?"

"그런가?"

동혁이는 먹던 꼬치를 내려두고 이렇게 말했다.

한국 가서 다시 먹으면 다 똑같을걸? 여행 때문에
그렇지 않을까?

이동혁은 말을 끝내고 다시 꼬치를 먹기 시작했다.
하긴 이동혁 말이 틀린 말은 아닐 테니까
조금은 일리 있는 말이라고 생각했다.

음식점을 나왔을 때에도 눈이 끝도 없이 내리고 있었고
날씨가 정말 추워 서로 손을 잡고 호텔로 향했다.

짐만 대충 내버려두고 나와서 뭐가 있는지도
시설이 어떤지도 잘 몰랐지만 시설은 너무 좋았다.

마음에 들어? 내가 신중하게 골라서 예약했어

응 너무 마음에 든다

방은 벽 한 면이 통 유리창이여서 풍경이 정말 잘 보였다.

"고마워 동혁아"

다음날 아침이 밝고 우리는 분주하게
움직이며 열심히 돌아다니고 많이 먹고
열심히 장난도 치며 일본에서 유명한 작가의
전시회도 가보며 다리가 저릴 정도로
빡빡한 하루를 보냈다.

그 다음날에는 일본에서 유명한 게임들이
있는 온천에 가서 피곤함을 녹여주고
초밥도 정말 완벽한 곳을 갔다.

무엇보다 좋은 점은 일본어가 서툴러서 길을 잘 몰라
물어보면 다 같이 도와주시곤 했다. 정말 따뜻한 곳이었다.

내가 사랑하는 사람과 함께
여행을 하며 5일이라는 시간동안 붙어있으니
이것보다 좋은건 없었다.
앞으로도 평생 같이 붙어있고 싶었다.

일본에서의 여행이 끝났다.
조금은 힘들기도 했지만 너무나도 후회없는
여행이었다. 웃긴 점은 계획을 짠
이동혁이 먼저 지쳐 뻗었다는 부분이 정말 웃겼다.

서울로 돌아가는 비행기가 늦어져서
이동혁과 나는 빨리 한식이 먹고싶다고
일본에서 한식 식당을 찾아볼 정도로
한국 음식이 정말 고팠다.

사람들이 왜 여행을 가면 라면을 챙겨가라고 했는지
이제야 그 느낌을 알 수 있었다.

늦어진 비행기는 3시간이나 지나서야 겨우 타서
한국에 갈 수 있었다.

비행기에서 내린 이동혁은 무거운 캐리어를 끌고
공항 안에 있는 식당에 들어가 고민도 없이
김치찌개를 시켰다.

맛있어?

너무 먹고싶어서 죽는 줄 알았어ㅎㅎ

오랜만에 먹는 한국 음식은 정말 집밥 같았다.

집에 도착한 나와 동혁이는 서로 집에 도착했다는
카톡만 남기고 바로 잠들었다.

여행을 끝으로 우리는 변함없이 지내며
대학 졸업 전시회에도 이동혁이 찾아와
내 어깨를 올려주었고 나는 무사히 대학생활을
끝낼 수 있었다.

이동혁을 만나기 전에 열심히 살아서 그런지
취업도 나름 성공적으로 잘 되었고 이동혁도
전시회를 열면서 그림도 꾸준히 그렸다.

인준이도 가끔 만나 이야기 하면
나와 비슷하게 잘 살고 있었다. 무엇보다
여자 친구도 생겼다며 자랑을 하곤 했다.

그리고 동혁이 어머님도 날에 맞춰서 같이 가서
인사를 그리곤 했다. 하지만 여전히 우는 동혁이를
볼때면 마음이 좋지 않았다.

그렇게 2년이라는 시간이 지나갔다.

아직 크게 싸운 적이 없고 싸워도 항상 져주는
이동혁 덕분에 서로 결혼이라는 마음이 생겼다.

집도 합쳐 동거를 하고 하루하루가
행복한 생활을 했다. 이런 사람이라면 내 남편으로도
그리고 미래의 아이가 태어났을 때 정말 좋은 가족이
될수있을거 같았다.

내일도 출근해?

음.. 아무래도 그렇지? 한동안 회사가 바빠서
데이트도 제대로 못해서 그런지 삐져있는 동혁이가
너무나도 신경이 쓰였다.

동혁아 나도 너랑 데이트 하고 싶어,
속상해도 조금만 기다려줘

동혁이는 다 이해한다는 듯이 웃으면서 알겠다고 말했다.

출근은 했지만 그래도 마음이 찝찝했기에
오늘은 무조건 칼퇴를 하고 동혁이와 같이
밥을 먹으려고 열심히 동혁이 생각을 하며 일을 했지만
이런 개같은 부장 때문에 어쩔 수 없이 야근이라니

정말 한 대 쥐어박고 싶지만 상사 말 어겨서
좋은건 없으니 다급하게 카톡으로 미안하다는 말만 주구장창
보내는 방법밖에 없었다.

-동혁아 오늘도 야근이여서 정말 미안해
진짜 정말 미안해

보내고 나서 바로 답장이 오는데 답장 확인해보면

-무리하지 말고 보고 싶으니까 빨리 와

결국 새벽 1시까지 야근하고 회사 로비로 나오니
익숙한 사람이 보였다.

동혁이야?

멀리서 걸어오는 것만 봐도 이동혁이였다.

뭐야 너 언제부터 있었어?

아까 왔어

피곤 할텐데 먼저 자고 있지..

네가 안 들어오는데 걱정되서 어떻게 나 먼저 자

내일은 꼭 맛있는거 먹으러 가자 미안.

너무 미안해서 눈물이 뺨을 타고 흘러내리는 순간
아무 말 없이 안아주던 동혁이였다.

집에 도착한 나는 시선이 바로 식탁으로 쏠렸다.

이게 다 뭐야 동혁아?

식탁에 있는건 동혁이가 나랑 같이 먹으려고 만들어둔
음식이었다.

아 그거.. 너랑 같이 먹으려고 만들었는데..

어떻게 이런 남자가 다 있지 싶었다.
정말 놓치면 후회할거 같았다.
미안한 마음과 고마운 마음이 동시에 들며
마음이 박차이기 시작하다 결국 한참동안
이동혁 품에 안겨 울었다.

1시간이나 울었을까 눈이 팅팅 부어
이동혁이 해준 밥을 먹고 새벽 3식가
되어서야 토닥여주는 손과 함께
잠이 들었다.

하지만 운이 지지리도 없는지 계속되는 야근과 함께
어제 약속한 것도 결국은 2일이 지나고 3일이 지나도
결국은 못지키고 말았다.

이동혁은 이런 상황이 점점 마음에 들지 않았던 건지
출근이 없는 날에 나를 식탁에 앉혀두고
진지하게 말하기 시작했다.

회사 그만둬

갑자기? 힘들게 취업한 사람한테 회사를
그만두라니 이동혁 마음도 이해가 가지만 잘 다니고 있는
회사를 그만두라는 건 도저히 이해를 하기 힘들었다,

나 회사 그만두면 너 눈치 보여 동혁아.

왜 눈치를 봐? 나 모아둔 돈 많아 이제는 너 힘들어
하는 모습 그만 보고 싶어

그래도 잘 다니고 있는 회사인데..

"결혼하자"

갑자기 이 상황에서?

내가 먹여 살릴 테니까 나랑 결혼하자

참 웃기게도 먹여 살릴 테니까 라는 이 한마디에
걱정이 다 사라지는 느낌이었다. 그만큼
이동혁이란 존재가 나한테는 기댈 수 있는 존재라는 거라고
생각했다.

일단 잘 다니고 있는 회사를 무작정 그만두는건 예의가
아니니까,, 결혼하면 회사 그만둘게

이동혁은 이 한마디에 다음날 아침부터
분주하게 움직이며 그림은 제쳐둘 정도로
결혼 준비를 혼자 다 준비하고 드레스나 식장 같은건
내 의견도 물어보며 열심히 준비를 했다.

그 사이 우리는 서로의 부모님에게 인사도 드리고
짧으면 짧고 길다면 긴 연애를 했지만
서로의 부모님들도 아주 만족스러워 하시면서
결혼 진행이 빨리 서둘러졌다.

부모님은 어떻게 저렇게 잘생기고
좋은 남자를 데려 온 거냐며 물어봤지만 부끄러워
차마 대답하지 못하고 결혼 준비 때문에 바쁘다며
자리를 피했다.

결혼에 대한걸 비밀로 하고 다녔지만 식 올리기
이주일 전에 청첩장을 돌렸다.

봄을 지나 싱그러운 여름이 시작되는 계절에
새로운 걸음을 내딛게 되었습니다.
힘든 일이 있어도 기쁜 일이 있어도
작은 행복에도 미소 지으며,
서로가 서로를
소중히 여기겠습니다.

설레는 시작의 순간,
가까이서 축복해 주시면
더 큰 기쁨으로 간직하겠습니다.

친구들은 이게 청첩장을 읽고 무슨 일이냐며
진심으로 축하한다고 많은 축하를 받았다.

청첩장을 받고 기쁘다고 우는 사람도 있었고
가서 잘 살아라고 응원해주는 사람도 있었다.

인준이도 여자 친구랑 같이 꼭 가겠다며 말을 전했고
그 동시에 나는 사직서를 준비하고 있었다.

결혼 당일 새벽부터 일어나 샵에 가서
머리부터 발끝까지 준비를 마치고
식장으로 향했다.

샵이 나와는 달랐던 동혁이는 신부 대기실에 들어와서
하는 말이 너무 이쁘다였다.

결혼이라는 건 그냥 사랑하는 사람과 잘 지내면 끝이라고
생각했는데 막상 한다고 하니 떨려서 눈물이
나올 것만 같았다.

내 대기실도 이동혁 대기실도 많은 사람들이 찾아오며
이야기를 나눴고 시간은 순식간에 지나갔다.

결혼식이 시작하고 사회자를 맡은 인준이의 목소리가
들려왔다.

안녕하십니까. 사회자 황인준입니다.
바쁘신 가운데 두 사람의 결혼을 빛내주기 위하여 이 자리에
참석해주신 모든 하객 여러분께 깊은 감사의 말씀을
드립니다. 그럼 지금부터 신랑 이동혁군과 신부 유은서양의
결혼식을 시작하겠습니다.

인준이의 길고 긴 멘트가 끝나고 동혁이의
입장 소리가 들렸다.

세상에서 가장 멋진 신랑, 이동혁 군의 입장이 있겠습니다.
힘찬 박수로 환영해주시기 바랍니다.

신랑 입장!

많은 사람들의 박수가 한 번에 들릴 때
이제 시작이구나 라는걸 느꼈다.

입장할 시간이 다가오자 심장이 미치듯이
뛰었다. 먼저 입장을 한 이동혁은
그 상황을 잘 즐기고 있는지 사람들 웃음소리가 들려왔다.

그렇게 입장을 기다리다 안에서 소리가 들려왔다.

이어서 신부의 입장이 있겠습니다. 하객 여러분들은
모두 뒤를 바라봐주시기 바랍니다. 오늘 이 순간 세상에서
가장 아름다운 신부가 입장 할 때 뜨거운 축복의
박수로 맞아주시기 바랍니다.

신부 입장!

숨을 천천히 고르며 입장하던 그 순간
엄청 비싸 보이는 화려한 조명과 나를 기다리고 있는
이동혁이 보이고 여러 사람들의 축하 소리가 들려왔다.

이 사람과는 정말 행복하게 살아 야겠다고,
아이가 태어나면 좋은 가정을 만들겠다고
굳게 다짐했다.

결혼식 마무리가 되어가고 사람들이
잡으려고 악을 쓴다는 부케를 던질 때였다.

누구한테 던져줄지는 결혼을 준비하는 그때부터
마음에 담고 있었다.

나와 이동혁이랑 제일 친한 인준이가 아닐까.
인준이가 여친이 생겼다고 했을 때 여친한테
던져주면 딱이겠다고 생각했다.

부케를 던지고 나서 뒤를 돌아보니
내 예상은 딱 맞았다.

인준이는 고맙다며 입모양으로 말해주고 있었다.

사진을 다 찍고 옷을 갈아입고 곧장 혼인신고를 하러 갔다.
서류를 다 적고 제출을 하니 이제는 정말
신혼부부라고 생각했다.

회사에서는 동료들에게 축하도 받았지만
얼마 뒤 퇴사처리가 완료 되었다며 문자가 왔었다.

이제 끝이구나.

결혼식이 끝난 날 예상은 했지만
실시간 검색에는 당연히 이동혁 이름이 올라가 있었다.

-화가 이동혁 일반인과 결혼 여자 친구도 미대 졸업생..

-화가 이동혁 결혼

-유명 화가 이동혁 고등학생때 사귄 여자 친구와 결혼까지..

많은 기사들이 있었지만 그중 눈에 띄는 기사가 있었다.
바로 동혁이의 인터뷰다.

-여자 친구는 어떻게 만나셨나요?

-아, 고등학생때 혼자 다니던 저와 친해지고 많은
도움을 줬어요 그때 마음이 생겨 사겼는데 중간에
인연이 끊겨서 하하.. 그래도 한국에 다시 왔을 때
다시 사귀고 싶어서 많이 노력해서 결혼까지 마음을 먹었네요

-어떤 부분이 좋으신가요?

-그냥 사람 자체가 너무 착해요 그래서 좋습니다.

-마지막으로 결혼에 대해서 팬분들이나 여자 친구 분에게
전하고 싶은 말이 있을까요?

-정말 사랑하는 여자와 결혼을 하게 되었습니다,
활동은 멈추지 않고 계속할 예정이니 저의 새로운
시작을 응원 부탁드립니다, 그리고 곧 결혼하는
여자친구.. 정말 많이 사랑하다는 말을 전하고 싶네요

떨리는 마음에 눌러본 인터뷰 기사지만
생각보다 반응도 좋고 응원하는 댓글들이 많아서
다행이라 생각했다.

이동혁은 나랑 계속 붙어있어서 좋은지
항상 행복하다는 웃음을 유지하고 있었다.

그렇게 결혼생활이 빠르게 지나가며
3년이 지나고 인준이의 결혼소식이 들려왔다.

인준이의 여자 친구 배에 작고 귀여운 생명체가
생겼다며 사진을 보여줬다.

와, 정말 귀엽다 엄마 닮았으면 좋겠네ㅎㅎ

그러게 인준이 닮으면 큰일 나는데

나와 동혁이의 말에 인준이는 크게 웃으면서
사회자를 해주면 좋겠다고 동혁이에게 부탁을 했다.

동혁이는 당연히 해줘야지 하면서 쿨하게
받아줬다.

오랜만에 술 한 잔 하자며 인준이를 잡았지만
인준이는 단호하게 애기 보러 가야한다고 집을 떠났다.

인준이의 결혼식도 여자친구분의 배에
아기가 있어서 그런지 생각보다 빨리 진행이 되었고

무사히 결혼식이 끝났다.

그렇게 순식간에 겨울이 되었다.

동혁이는 매번 새로운 그림을 그리곤 했지만
겨울이 되고나서 활동이 조금 줄어든 듯 했다.

겨울이라 그런지 기분도 우중충 하고
자꾸 쉽게 까먹는 느낌이랄까 처음에는 그냥
귀엽다고만 생각했다.

하지만 날이 가면 갈수록 심해지니 걱정만
더 늘어났다. 병원을 한번 가보는게 어떻겠냐는 말에
동혁이는 항상 나이 들어서 그런 거라며
괜찮다고 웃으며 넘겼다.

하지만 그것도 잠시 아침에 일어난 동혁이가
나를 보며 누구세요? 라고 말을 했다.

이게 무슨 말인가 싶어서 벙쪄있었는데
한 템포 늦게 장난이야 내가 왜 널 까먹어?
라고 계속 장난이라고 반복적으로 말하는걸 보니
정말 이게 장난이 맞는 건가라는 의심이 들었다.

그렇게 한 달이 지나고 동혁이는 전시회 준비를
한다며 집에 들어오는 횟수가 점점 줄더니
집을 아예 들어오지 않았다. 그것도
카톡으로만 연락을 받았다.

느낌이 이상해서 인준이 에게 전화를 걸었다.

어, 여보세요?

오랜만이야 인준아

응 나도 무슨 일로 전화했어?

그.. 동혁이가 자꾸 나한테 뭘 숨기는 느낌이 들어서

아.. 그래?

넌 알고 있나 해서 모르면 미안해

난 잘 모르겠다 미안. 끊을게

인준이는 다급하게 전화를 끊었다.

나는 인준이의 마지막 말을 듣고 나만 모르는
무슨 일이 있다는 걸 느낄 수 있었다.

나는 서둘러 옷을 입고 동혁이의
작업실로 달려갔다.

하지만 작업실에는 아무도 없었고
전시회를 준비한다면 새로운 그림이 있어야 하는데

마지막 전시회에 있던 그림들 밖에 없었다.

도대체 어디에 있는걸 까 하면서 깊은 생각 끝에
납골당이었다.

납골당에 가서 확인해보니 주저앉아서
울고 있는 동혁이가 있었다.

너 여기서 뭐해?

아.. 그냥..

너 무슨 일 있지? 작업실 가서
다 봤어.

그냥 우울증 다시 왔나봐 미안해.

우울증 한마디에 그래도 조금이나마 안심이 되었다.
우울증은 예전처럼 돌아갈 기회가 있는 거니까

다행이다. 정말 다행이야

겨우 동혁이를 찾고나 서 얼마나 또 지났을까
추운 겨울인데 자꾸 어딜 가는 건지
나한테는 한마디도 없이 사라져버리는게
일상이었다.

걱정하게 만들지 말라고 그렇게 말했지만
말은 또 더럽게 안 들었다.

이동혁 행동 때문에 점점 지쳐가던 내가
이제는 도저히 찾기도 힘들어서 알아서 돌아오는 날
까지 계속 기다렸다.

하루가 지나고 이틀이 지나고 일주일이 지나도
집에 들어왔다가 나간 흔적조차 없는 이동혁에
점점 불안해지기만 시작했다.

아버님한테 전화를 드려 동혁이에게 무슨 일이
있는거 같다고 말하자 일단 찾아보겠다며 전화를 끊으셨다.

하지만 불안한 예감은 한 번도 틀리지 않았다.

행방을 알고있을거 같은 유일한 친구가 인준이었다.

뚜르르- 뚜르르-

여보세요

인준아, 너는 동혁이 어디 있는지 알지?

난 전혀 모르는데 왜?

일주일이 지나도록 집에 들어오질 않아..
내 연락도 안 봐 어쩌지?

인준이는 큰 한숨을 쉬며 떨리는 목소리로 나에게 말했다.

동혁이가 말하지 말라고 했는데..

왜? 뭔데? 무슨 일 있는 거지?

동혁이가 좀 많이 아파..

아프다고..? 어디가 아픈데?

동혁이가.. 오래 살지 못할 거야 미안해

머리를 순간 한 대 맞은 기분이었다.
오래 살지 못한다니? 얼마나 건강했는데.
순식간에 눈앞이 흐려지며 눈물이 차오르기 시작했다.

은서야 내가 주소 보내 줄 테니까 병원 가서
의사 말을 일단 들어봐

알았어 고마워

인준이가 밉기는 했다. 사람이 오래 살지 못한다는데
이동혁이 말하지 말라고 했다고 그걸 숨겼다는 게
그냥 마음이 찢어지는거 같았다.

나는 인준이가 보내준 주소를 가지고
병원에 찾아가 의사의 말을 들었다.

남은 시간은 일주일입니다. 보호자 분이 너무
늦게 사실을 아셨어요 검사받고 가신 때가
3개월 남았을 때 이었습니다.

의사도 할 말이 없는지 고개를 숙였다.

왜.. 대체 어디가 아픈 건데요..?

뇌에 종양이 생겼습니다. 어릴 적사고 후유증이
지금 생기셔서 기억을 담당하는 기관까지 다
망가진 상태입니다. 저희도 도와드릴 방법이 없습니다.

의사의 죄송하다는 말을 끝으로 병원을 나와
부모님들에게 전화를 걸어 상황을 전했다.

부모님들이 내가 지쳐 보인다며 본인들이
찾아볼 테니 집에 가서 쉬라고 등을 떠미셔서
결국 집으로 와서 뉴스를 틀었다.

하지만 내 끝은 여기까지였다.

뉴스에서는 긴급속보라며 바다에서 사망자가 나왔다며
알려주고 있었다. 하지만 아나운서의 그 다음 말에는

유명 화가 이동혁씨가 바다에서
시신이 발견되었습니다.

내 모든 것이 무너지는 느낌이었다.
그 말을 들은 나는 숨이 가빠지고
과호흡이 오며 숨을 고르지 못한 채
계속 울기만 했다.

얼마나 울었는지 감도 안온채
전화가 와도 모두 다 씹으며
이송된 병원으로 달려갔다.

병원을 가보니 이미 양쪽 부모님들이 도착해 있었고
시신을 보려는 나를 막기에 바쁘셨다.

계속 막아서는 어른들에 나는 화가 나서
소리를 지르고 말았다.

"내 남편인데 내가 왜 못봐요? 다들 나오시라고요"

흰색 천을 걷어보니 누가 봐도 이동혁이였다.

아니길 바랐는데 잘못 전한 소식이라고 믿었는데..
피부의 색은 점점 변해가고 입술의 색도
죽은 사람 입술 색처럼 변해져 있었다.
무엇보다 마지막으로 안았을 때 온기가 전혀 없었다.

동혁아 너 없으면 내가 어떻게 살아가?
아프면 말해주지, 일주일이나 남았다는데
그래도 더 힘내보지, 나랑 더 있다가 갔으면
덜 서운했을 텐데.. 난 너랑 똑 닮은 아기
나아서 행복한 가정 만들고 싶었는데..
난 너 아픈지도 몰랐네 어쩌면 알았는데
내가 너무 늦었던걸 까? 너무 미안해서 어쩌지..
바다 추웠을텐데 많이 힘들었겠다. 그래도 나한테
말은 해주고 가지 동혁아.. 왜이렇게 날 힘들게 만들어..

그렇게 내 첫사랑이 떠나갔다.

장례식에는 많은 사람들이 찾아왔으며
우는 사람들도 많았고
이동혁을 비난하는 말들도 내 귀에 꽂혔다.

쯧쯧 저렇게 먼저 가버리면 아내는 어떻게 해?

그러게 말이야 참 대책이 없네

화가 끝까지 난다. 내 탓인데
동혁이는 아무 잘못도 없는데. 나는 발걸음을 옮겼다.

저기요. 동혁이요 아파서 떠난 거예요
아파서 떠난 거라고요 그리고 제 인생 알아서 잘 살테니
곱게 나가세요 지금 당장

순식간에 장례식장은 차가운 공기로 바뀌었다.

기자들은 이동혁이 떠났다는 사실을 기사로 써서
올리기 바빴고 제목들은 역겨울 정도였다.

나는 며칠 동안 이동혁을 보러오는 사람들을
위해 남아 끝까지 자리를 지켰다.

사람들을 위해서라기보단 이걸 치우면 정말
끝일 거 같아 무서웠다.

수많은 꽃들 사이에 있는 사진을 보니
느낌이 이상했다.

나는 아직 네가 살아있는거 같은데 동혁아..
제발 거짓말이라고 해주면 안 될까 내 욕심이 심한걸 까?

한참을 울다 지쳐 잠에 들려던 그때 익숙한 목소리가
내 이름을 불렀다.

인준이였다.

어떻게 와도 넌 친구라는 놈이 그것도 몇 년을 본 애가
마지막 날에 와?

나는 인준이를 보자마자 심한 말을 내뱉었다.

인준이는 별다른 말없이 미안하다는 말과 함께
동혁이가 마지막으로 나한테 남기고 간거리며
전해줬다.

이거 동혁이 일기장이야.
기억을 점점 잃기 시작한 후부터 너한테 쓰던
편지인데 아마 조금밖에 쓰지 못했을 거야 꼭 전해주라더라
그리고 죄책감 갖지 말고 너무 미안하대
나 잊어도 좋으니 다른 사람 만나도 멀리서 응원하겠대

그런 말 하고 싶으면 내 얼굴 보고 하던가
이동혁 진짜 바보야?

미안하다 나 가볼게 힘내고 마음 추스르면 연락해.

마지막으로 다녀간 손님은 인준이었고
그 후로 아무도 오지 않았다. 난 아무도 오지 않아도
내 욕심 하나 때문에 정리를 미루고 또 미루며
결국 하나 둘씩 정리를 했다.

"오래 잡아둬서 미안해 동혁아, 너무너무 미안하고 사랑해
이제 편하게 쉬어"

집으로 돌아오니 시끄럽고 웃음만 남기던 집이
이제는 나 혼자만 남은 집이 되었다.
동혁이가 쓰던 유품들도 정리할까 생각했지만
그대로 내버려 두기로 했다.

사람 한명 없다고 이렇게 조용할 일인가..

나는 의자에 앉아서 인준이가 주고 간 일기장을 펼치며
동혁이가 쓴 편지를 한 줄씩 읽기 시작했다.

맨 앞장의 글은

내 모든 걸 줘도 아깝지 않을 사랑하는 은서에게.

내 첫사랑인 은서야 편지는 오랜만이지?
나도 이렇게 편지로 전한다는 게 너무 낯설어

이걸 볼때쯤이면 난 아마 이 세상에 없을 거 같아
바보 같은 인준이 때문에 아마 병원 가서 이미
다 들었겠지?

나 너에 대한 기억이 점점 사라져
나도 널 잊는다는 게 너무 끔찍한데
자꾸 널 속인다는 게 마음이 좋진 않았어

미리 말 못해서 정말 미안해

널 이렇게 먼저 두고가서 미안해
이럴 줄 알았으면 너한테 마음 다시 얻으려고
노력하지 말걸ㅎㅎ

막상 죽을 생각하니까 너무 무섭더라
나도 무서 운데 너는 얼마나 더 무서 울까
그래서 말을 못했어

내가 죽어도 네가 엄청 아파하려나
인준이 너무 미워하지마 다 내 잘못이야

후회된다 이럴 거면 솔직하게 털어두고
너랑 같이 시간 보내다가 자연스럽게 떠날걸

그거 알아? 기억은 계속 잊히고 있지만
이건 계속 생각이 나
너 처음볼 때 되게 예뻤어.
정말 어떻게 저런 여자가 다 있지 라는 생각이 들 정도로
그때 참 좋았는데 근데 말이야

내가 너무 나쁜 놈이네
이런 예쁜 여자를 꼬시고 결혼까지 했는데
널 닮은 예쁜 자식이 없어서 널 혼자 남게 만들어서
너무 미안하네

나도 인준이처럼 자식 생겨서 언젠가는
아들 딸 둘 다 널 닮은 예쁜 애 나아서
재밌는 가정 만들고 싶었는데 지금 보니까
인준이가 많이 부럽기도 하네

너 잘못 하나도 없어 그러니까 자책하지 말고
원래 너의 모습으로 돌아가 잘 살았으면 좋겠어

내가 없는 순간들을, 너무 오래 아파하지 마

이거 읽고 울지 마 너 울면 되게 못생겼어

근데 정말 거짓말 못하겠다.

너 이뻐. 너무너무 이뻐
울어도 이뻐 나도 너무 보고 싶고
너랑 같이 손잡고 놀러 가고 싶고
여행도 가고 싶어 아침에 눈 뜨면
너랑 눈 마주쳐서 일어나는 것도 아직 너무 좋은데
아직 너랑 하고싶은게 너무 넘쳐나는데

어쩌면 네가 나를 계속 생각해주고 그리워 해줬으면 좋겠어
날 계속 찾았으면 좋겠어
죽기 너무 무섭단 말이야

이래라 저래라 해서 미안해

그냥 날 잊어, 다 잊고 너를 사랑해주고
나보다 건강한 남자 다시 만나서 행복하게 살아줘
내가 바라는건 딱 이거 하나야

너무 미안하고 나와 함께해줘서 고마웠어

다음 생에 태어나 너를 또 만난다면
그때는 더 건강한 모습으로 찾아갈게

안녕, 내 별아

이동혁이 떠난 지 1년

난 네가 원하는 말을 지키지 못했어
앞으로도 지키지 못할 거야

네가 아직도 이렇게 그리 운데 어떻게 다른 사람을
만나고 잘 살아가지

만나도 그 사람 모습에는 네가 보일거야
소용없어.

가끔 네가 꿈에 나오면 울면서 잠에서
깨어나곤 해

아직 네가 쓰던 작업실도 정리 못했고 옷도 다
정리 못했어 네가 어딘가에 꼭 있을 것만 같아서

동혁아 너를 여름에 만나고 겨울에 끝났는데
우리는 또 여름에 만나고 겨울 바다를 좋아하던 내가
정말 차가운 바다가 겨울에 널 가져갔네

우린 정해진 운명 이였을까

다음 생에 내가 널 찾으러 가던
네가 날 찾아오던 그땐 한 번 더
널 사랑해볼게 이 운명이 우리를 막아도
최선을 다할게

보고싶을거야 안녕.

[작가의 말]

작가의 말에 무엇을 써야할지 몰라
여러 책의 말을 읽어봤지만 도저히 쓸 말이 없었습니다.

책을 낸다는 부분이 정말 힘들고 많은 노력이 들어가지만
그래도 한번은 꼭 해보고 싶어서 약 1년 동안
조금 짧은 소설을 하나 써봤습니다. 글 중에서
다 풀지 못했던 부분들이 많이 남아있지만
독자님들의 상상력에 맡기도록 하겠습니다.
제 글은 항상 취향이 갈리곤 했지만 재미있게
읽어주시면 좋겠습니다.

이 책을 완성 할 수 있게 도와준 주변 분들에게
정말 감사하다는 말씀을 드립니다.

2024 겨울
Anemone.

여름으로 시작해 겨울로 끝나였다.

발　행 | 2024년 2월 13일
저　자 | Anemone
펴낸이 | 한건희
펴낸곳 | 주식회사 부크크
출판사등록 | 2014.07.15.(제2014-16호)
주　소 | 서울특별시 금천구 가산디지털1로 119 SK트윈타워 A동 305호
전　화 | 1670-8316
이메일 | info@bookk.co.kr

ISBN | 979-11-410-7104-2

www.bookk.co.kr